CORAÇÃO ACELERANDO

Para meu filho,
Roberto Vasquez Santos Júnior,
com amor.

LILIAN SYPRIANO

CORAÇÃO ACELERANDO

Ilustrações
CLÁUDIA JUSSAN

7ª edição

Formato

FICHA CATALOGRÁFICA

Dados Internacionais de Catalogação na Publicação (CIP)

Sypriano, Lilian
Coração acelerando / Lilian Sypriano;
ilustrações Cláudia Jussan. – 7. ed. – São Paulo:
Formato Editorial, 2005. – (Coleção Adrenalina)

ISBN 978-85-7208-193-1

1. Literatura infantojuvenil I. Jussan, Cláudia.
II. Título. III. Série

CDD-028.5

Índices para catálogo sistemático:

1. Literatura infantil 028.5
2. Literatura infantojuvenil 028.5

18ª tiragem, 2021

CORAÇÃO ACELERANDO

Coleção Adrenalina

TEXTO © 2000 LILIAN SYPRIANO
ILUSTRAÇÕES © CLÁUDIA JUSSAN

DIRETORIA EDITORIAL
SONIA JUNQUEIRA
EDITORIA DE ARTE
NORMA SOFIA
ASSISTÊNCIA EDITORIAL
ESTER RIZZO
JAKELINE LINS
LUCAS SANTOS JUNQUEIRA
SECRETARIA EDITORIAL
FLÁVIA ARAÚJO
EDITORAÇÃO ELETRÔNICA
MÁRCIO RIBEIRO
BRUNO MARTINS

REVISÃO
PEDRO CUNHA JR.
LILIAN SEMENICHIN

IMPRESSÃO E ACABAMENTO
VOX GRÁFICA

Direitos reservados à
SARAIVA Educação S.A.
Avenida das Nações Unidas, 7.221 - Pinheiros
05425-902 - São Paulo - SP
www.coletivoleitor.com.br

Tel.: (0xx11) 4003-3061
atendimento@aticascipione.com.br

CL: 810906
CAE: 602207

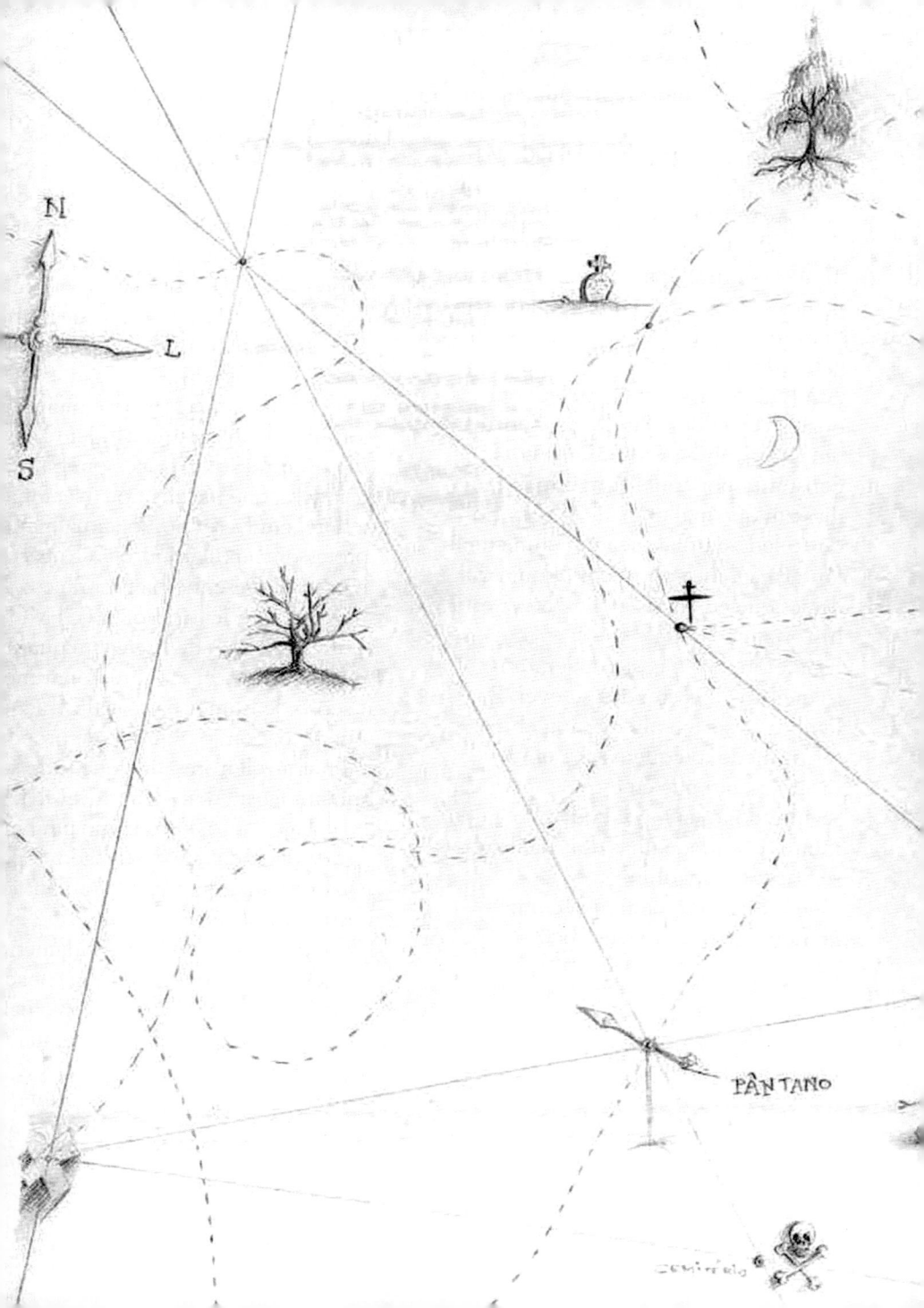

Oi, eu sou a **Lilian Sypriano**, autora do livro que você tem nas mãos. Sou carioca e vivo numa cidade próxima ao Rio de Janeiro, dentro de uma área de preservação ambiental. Floresta e ar puro por aqui não faltam. Tenho um filho, para quem o livro foi dedicado. Tenho, também, quase trinta livros publicados, além de quatro gatas, dois cachorros e três codornas. Aqui na serra faz frio e, de vez em quando, acendo a lareira pra sentir um calorzinho gostoso. Uma coisa constante por aqui é a neblina. Tem dias em que mal dá para enxergar o outro lado da rua. Fica um clima meio fantasmagórico, tétrico. Foi num dia desses que eu comecei a escrever esta história...

Espero que você goste de ler, tanto quanto eu gostei de escrever. E lembre-se: se em algum momento sentir medo, ou quem sabe um leve receio, pense que eu estou com você, segurando a sua mão. Pode não ajudar muito, é verdade, mas dois medrosos se fazem companhia.

Quero dizer, também, que é um grande prazer conhecer você.

Um beijo no fundo do seu coração.

Meu nome é **Cláudia Jussan**. Apesar de ter nascido em 1974 e, desde então, morar em Belo Horizonte, MG, já posso me intitular uma pessoa de personalidade absolutamente irônica. Mas como considero o desenho uma coisa séria, graduei-me pela Escola de Belas-Artes da UFMG onde, por três anos e meio, fui monitora da disciplina Modelo Vivo sob orientação da professora Sandra Bianchi, que me ensinou a lecionar. Bacharel em Desenho, sou atualmente professora auxiliar junto ao Departamento de Desenho na própria escola onde me formei (UFMG). Tanto nos livros de literatura quanto nos didáticos, busco direcionar meu senso de humor para as ilustrações que faço, com o objetivo de proporcionar aos leitores algo que todo ser humano gosta de sentir: ALEGRIA. Para tanto, nada como um bom sorriso, ainda que desenhado. É por isso que para mim foi um "presentão" ilustrar a *Coleção Adrenalina*, que está repleta de sorrisos morbidamente irônicos: pude exercitar minha capacidade de ver, no medo, motivo para rir... Espero que você ria muito, mas que, principalmente, sinta MEDO! Além deste, ilustrei, para a Saraiva, os livros *Blog do sapo Frog*, *O sumiço do Chantili* e *O gênio da rede / Aladim e a lâmpada maravilhosa*.

Você já deve conhecer livros deste tipo, em que VOCÊ determina o andamento da história. Provavelmente, já assistiu a filmes interativos ou leu a respeito e sabe perfeitamente como a coisa funciona.

Se você, entretanto, nunca leu nada semelhante, não tem tevê em casa e não sabe o que deve fazer, então leia a página 104 do livro, onde vai encontrar um texto com instruções, e depois retorne a este ponto.

A partir de agora você vai viver uma aventura; nela, VOCÊ é o personagem. Tudo o que acontecer de agora em diante estará acontecendo com VOCÊ. Portanto, tente se sentir como um verdadeiro personagem, preste atenção a todos os seus passos, olhe bem tudo o que estiver a sua volta e, sobretudo, mantenha a calma. Sente-se confortavelmente, acenda todas as luzes que puder e tenha, por precaução, um copo d'água ao seu alcance. Você pode precisar.

Agora é com VOCÊ. Estou me despedindo, desejando que goste da leitura e, claro, que tenha MUITA SORTE, porque acho que vai mesmo precisar...

Um abração da

Antes de você mergulhar de cabeça nesta aventura, vou me atrever a dar alguns conselhos, ou melhor, algumas dicas, que seguem abaixo. Assim, acho que você vai ter uma noção mais realista do que vem pela frente. Aí vão elas:

COISAS MUITO ÚTEIS PARA VOCÊ TER:

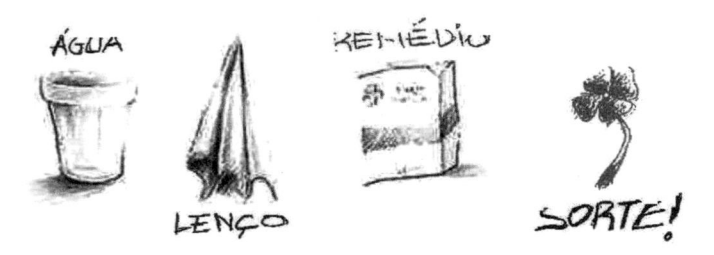

1. Copo com água, se possível com açúcar.
2. Lenço (pode ser de papel).
3. Remédio para o coração (se sofrer dele).
4. Lanterna. VELA ACESA, JAMAIS!
5. Medalha, crucifixo, talismã ou amuleto da sorte.

COISAS CONVENIENTES PARA TER:

1. Moeda (de qualquer valor ou tipo).
2. Algum adulto por perto, mas de bico calado.
3. Marcador de livro (para interrupções eventuais).
4. Agasalho, caso tenha calafrios.

COISAS PARA EVITAR:

1. Ler ouvindo música fúnebre.
2. Ler em noite de tempestade ou lua cheia.
3. Ler estando sozinho em casa.
4. Ambientes mal iluminados e fechados.

COISAS ABSOLUTAMENTE DESNECESSÁRIAS:

1. Dados e bloquinhos para anotações.
2. Lápis, caneta ou hidrocor.
3. Canivete, lixa de unhas, escova de cabelos.
4. Bússola.
5. Uniforme de escoteiro ou bandeirante.

Muito bem, agora, finalmente, você pode começar.
Mais uma vez, BOA SORTE!

Hoje é sexta-feira, 29 de julho, e você decide aproveitar ao máximo seu último dia de férias  passadas nesta cidadezinha do interior, em companhia de tia Eva, uma simpática e sorridente velhinha que vive de bem com a vida. Amanhã, logo cedo, seus pais chegam para levar você de volta à cidade grande, ao caos, ao medo, à violência. Você se desacostumou dessas coisas porque aqui tudo é pacato, seguro, as pessoas são gentis, se cumprimentam nas ruas, se interessam umas pelas outras.

Você fez coisas incríveis durante o tempo que passou aqui: pescou no riacho; comeu fruta madura no pé; andou a cavalo; ajudou sua tia a cuidar da horta e, principalmente, aprendeu a dar valor às coisas simples.

Por antecipação, você já sente saudades. É por isso que, antes de partir, pretende dar uma última olhada em tudo, reter o máximo na memória pra depois curtir com mais detalhes as lembranças.

Você acaba de almoçar, monta na bicicleta antiga que achou guardada no galpão e que você mais ou menos reformou e, dando um sonoro beijo no rosto de tia Eva, se põe a caminho. Da porta ela lembra a você que esteja em casa antes das sete, para ter tempo de lavar o rosto e as mãos antes do jantar. Você promete que bem antes disso estará de volta (será?), acena para ela e pedala, vigorosamente, em frente, sem se preocupar em escolher o caminho que vai seguir.

Apesar do sol brilhando no céu azul, a tarde está fria. Você sente o vento bater em seu rosto e respira profundamente aquele ar sem poluição. Logo a seguir, o riacho surge a sua frente e, durante um bom tempo, você o acompanha, seguindo suas curvas e retas. Pedala, pedala, até que encontra uma estrada estreita, de terra batida, que começa nesta onde você está e segue em direção a um bosque, do lado oposto ao rio. Você, sem pestanejar, envereda por ela. Logo à frente, você vê uma quantidade enorme de árvores, todas com as copas muito juntas, os galhos de uma se confundindo com os de outra, e descobre que aquele é o que os moradores chamam de Bosque do Silêncio. E é para lá que você vai. Mais algumas centenas de pedaladas e você penetra numa floresta cheia de sombras e umidade. Você e o silêncio. Nem mesmo piado de passarinho você escuta. Dessa estradinha de terra saem várias trilhas, cada uma para uma direção. Você escolhe uma ao acaso e segue por ela, pedalando com dificuldade por conta das pedras no chão e dos galhos que se debruçam sobre a estrada e que chegam a machucar seu rosto e seus braços. Até que, depois de uma pequena curva, você ouve um barulho de água corrente; em seguida, uma cachoeira formada por um outro riacho se descortina a sua frente, num espetáculo de beleza e paz. Abaixo da queda, a água é represada por algumas pedras e forma um lago raso e convidativo. Você tem a roupa grudada no corpo por causa do esforço da subida e não resiste: encosta a bicicleta e mergulha na água fria e reconfortante. Ensaia umas braçadas, apesar da pouca profundidade, boia, mergulha e inspeciona o fundo de areia e pedrinhas roliças. Depois, você se estende preguiçosamente ao sol sobre o mato ralo, fecha os olhos e deixa o pensamento vagar livremente. Você pode se dar esse prazer porque, afinal, não tem compromisso nenhum, a não ser o horário do jantar, que é às 7 horas. Até lá, a tarde é sua, pra você usar como quiser.

O sol logo começa a aquecer seu corpo e uma preguiça gostosa toma conta de você. Então, por que não aproveitar o silêncio e tirar um cochilo?

Vagarosamente você abre os olhos e, por um momento, não tem a menor ideia de onde está. A sua volta, tudo está um pouco escuro, e seu corpo está encolhido, tremendo. Você, então, reconhece o lago e se recorda. Levanta, sacode o capim grudado na roupa e procura a bicicleta para poder voltar. Lá está ela, encostada numa árvore, no mesmo lugar onde você a deixou, do mesmo jeito. Ou não? Alguma coisa está diferente nela, alguma coisa parece errada. Você chega perto e constata que o pneu traseiro está vazio. Provavelmente, uma daquelas pedrinhas pontiagudas o furou enquanto você pedalava. Droga! Só faltava essa!

Você olha o relógio de pulso e toma um susto: 6:42 da tarde. Como conseguiu dormir tanto, e um sono tão pesado que nem se lembra de ter sonhado? E agora, como é que vai conseguir chegar às 7 horas para o jantar? Só de helicóptero, porque, empurrando a bicicleta, jamais, nunquinha, sem qualquer chance.

Bem, não adianta se recriminar por causa disso. Você dormiu e se atrasou. O negócio é tomar o caminho de volta o mais rápido possível e arranjar uma boa justificativa para a tia Eva, porque dizer que ficou dormindo durante toda a tarde só vai piorar a situação. E, se houver bronca, o jeito é escutar.

A escuridão aumenta rapidamente, já é quase total, e você tem dificuldade até para encontrar a trilha e voltar por ela. A bicicleta pesa meia tonelada, e você a empurra com força, já começando a sentir uma certa raiva dela e, principalmente, de você.

De repente, você percebe que não está encontrando a trilha. Olha ao redor, mas nada. Aí se recrimina, mais uma vez, por ter sido imprevidente e não ter trazido sequer uma lanterna, para alguma emergência. Você anda pra lá e pra cá, e nada da trilha. Você já está ficando com medo, porque, da escuridão, brotam sons estranhos, desconhecidos, e é impossível saber de onde eles vêm. E, de repente, ali pode ter cobra, ou até, quem sabe, algum animal selvagem... Finalmente, surge diante de você uma trilha mais que estreita, que corta o seu caminho. Você firma os olhos, mas não a reconhece. Não tem a menor ideia se é aquela por onde veio. Ela se estende a sua frente, e você pode seguir à direita ou à esquerda. Você tenta rever mentalmente o caminho por onde chegou, mas não consegue. Então, não tem outra saída a não ser OPTAR.

E a gente faz, aqui, uma...

Olá! Lamento dizer que você se perdeu. Se você trouxe a lanterna do Coisas muito úteis, não vai ser de qualquer valia, porque esqueceu as pilhas. Se tem a moeda do Coisas convenientes, pode jogá-la para o alto e escolher, no cara ou coroa, o caminho. Assim, se daqui pra frente não for bem-sucedido, você pode creditar à incompetência da moeda, e não à sua. Então, vai usar a moeda ou decidir por conta própria, independentemente do que ocorra?

Você faz a primeira escolha e vai para a FASE 2.

▶ Se você escolhe seguir pela direita e está torcendo para que seu senso de direção esteja correto, vá para a página 18, e BOA SORTE!

▶ Se você escolhe seguir pela esquerda porque lhe parece o mais correto, vá para a página 24 e, também, BOA SORTE!

▶ Se você não tem condições de escolher o caminho a seguir; ou se não quer correr o risco de escolher errado; ou se não tem nem mesmo uma moeda; ou se tem, mas não vai pagar mico jogando-a; ou se não está gostando nem um pouco desta escuridão, deste mato, e tudo o que você quer é terminar de ler esta história pra ir fazer outra coisa, então basta ir para a página seguinte. E, aí, nem precisa de BOA SORTE!

Muito bem, lamento informar, mas, para você, a história termina aqui.

Nem vou me dar ao trabalho de dizer tudo o que você perdeu. Azar o seu.

Esta história está repleta de emoções, que você não vai sentir. Que pena!

Mas, quem sabe, num outro livro a gente se reencontra? Talvez, num livro com outro cenário, com a história acontecendo à luz do dia, sem barulhos, um que não seja assustador... Talvez, num que se passe numa pracinha cheia de brinquedos, com guarda por perto, para qualquer eventualidade, que tal? Você gostaria?

Puxa, eu sinto muito que você tenha desistido assim, tão depressa. Quem sabe você reconsidera, volta ao princípio e recomeça, com novo ânimo?

Se sim, que legal! Volte à página 16, e BOA SORTE!

Se não, quero dizer que foi muito bom ter estado com você, ainda que só por pouquinho tempo.

A gente um dia se vê. Até lá, tudo de bom pra você...

Com a moeda, ou por conta própria, VOCÊ escolheu caminhar para o lado direito na trilha estreita. Sendo assim, pode continuar nesta página.

Você conduz a bicicleta, evitando, dentro do possível, as pedras, para não ter a desagradável surpresa de outro pneu furado. Até o momento, a única coisa legal é que já não sente frio. Pudera! Fazendo tanto esforço, você já está suando.

(*Se tiver trazido aquele lenço do item* Coisas muito úteis, *pode usar e secar o suor do rosto.*)

O caminho é esburacado e escorregadio, talvez por causa da chuva forte que caiu ontem à noite. Você tenta manter a bicicleta equilibrada mas, de vez em quando, ela resvala e você acaba caindo sobre ela. Sua roupa, lamento informar, já está toda suja, dá só uma olhadinha nela. Mas, mesmo assim, você continua.

Um vento frio começa a soprar suavemente e, instintivamente, você se encolhe. Olha para o céu, completamente escuro, e vê que umas nuvens grossas estão se aproximando, aceleradas pelo vento. Por entre as árvores, você percebe um céu estrelado e uma lua imensa e redonda, que identifica como cheia. Apesar de tudo, você não pode deixar de admirar a noite.

Piados, coaxos, zunidos, uivos, grasnidos quebram o silêncio, assim como as suas pisadas nas folhas secas do chão, parecendo que alguém segue você. Você olha muitas vezes para trás, mas não vê nada. Também, com esta escuridão, queria ver o quê? Está cada vez mais difícil enxergar o caminho e, agora, aquelas nuvens estão encobrindo parcialmente a lua, escurecendo mais a noite. Você procura andar no meio da estreita trilha, mas nem sempre consegue. Agora, por exemplo, meteu o pé numa raiz e por pouco não se machucou.

O vento fica mais forte e você acelera o passo. Poucos metros adiante, percebe que está subindo uma ladeira, suave, é verdade, mas que exige um esforço muito maior dos seus músculos, braços e pernas. Neste momento, quando você termina de subir, ouve o primeiro estrondo, ao longe, e se dá conta de que uma neblina avança rapidamente, deixando as árvores e os arbustos menos visíveis, com uma aparência enegrecida, fantasmagórica. Seus pés escorregam na terra úmida, seu coração bate descompassado.

Riscando o céu, bem a sua frente, você vê o primeiro raio. Abaixa a cabeça, tentando evitar o barulho que vem a seguir, e para. Você está em uma floresta e sabe que não existe lugar mais perigoso para se estar, em noite de tempestade, do que sob árvores. Você tenta sair dali o mais rápido possível, enquanto outros raios e trovões se sucedem. A neblina densa também prejudica bastante a sua visão; sem rumo, você acaba saindo da trilha e caminhando sobre o mato baixo.

Até que, finalmente, você se vê em campo aberto. Ufa! Faz uma parada para retomar o fôlego e, quando recomeça a andar, a chuva cai pesadamente, deixando suas roupas encharcadas, a terra mais escorregadia e lamacenta, e impedindo ainda mais a sua visão e a caminhada. Lua, nem pensar em contar com ela: está totalmente escondida pelas nuvens.

Você caminha cada vez mais devagar, tentando proteger o rosto dos pingos grossos. Até que, inesperadamente, vê a trilha se bifurcar, alguns passos adiante. Chega ao entroncamento e se aproxima de uma pequena placa, com duas setas que apontam em direções opostas. E, com dificuldade, mas feliz por ter encontrado ao menos uma indicação, você lê, olhos colados na seta da direita, pedaços de palavras que escaparam da brincadeira de algum engraçadinho que não tinha o que fazer:

Você tenta decifrar a charada, mas não lhe ocorre o que aquela placa indica. Mas deve ter um rio por perto. Olha para o outro lado e vê, na seta da esquerda, outra gracinha:

Mais uma vez, nenhuma chance de saber o que significa.

Você sente a desesperança tomar conta de você. Escolhazinha infeliz a opção da direita, hein? Você não sabe o que é melhor escolher agora, até porque é impossível decidir entre esses dois caminhos. A chuva dá uma trégua. Seus braços e pernas estão doloridos, seu corpo encharcado até os ossos, mas, infelizmente, não tem jeito: quem sai na chuva tem que se molhar. E, além disso, você precisa escolher um dos dois caminhos.

Reconheço que é complicado decidir, mas você tem que tomar uma direção, não dá pra ficar aqui a noite inteira, esperando o sol nascer. Tia Eva está esperando... Então, você respira fundo e faz a opção.

E a gente faz outra...

Você faz a sua segunda escolha e vai para a FASE 3.

Vai querer usar a moeda ou não? Você decide!

▸ Se você escolhe a direita, o caminho que leva ao " ......RIO M..IC.PA. DA ..LINA", por favor, vá à página 51 e, mais uma vez, BOA SORTE!

▸ Se você escolhe a esquerda, para o "P...ANO ....B.OSO", vá à página 30 e, também, BOA SORTE!

▸ Se você não está gostando nem um pouquinho desta história de sexta-feira, noite de lua cheia, chuva, neblina, raios e trovões, e acha que não é possível estar vivendo realmente esta situação, que tudo isso não passa de um pesadelo e que você, daqui a pouco, vai acordar, então vire a página. Para isso, você não precisa de sorte, sabe?

Ah, quase esqueci! Se quiser uma ajuda para descobrir o que está escrito nas setas, dê um pulinho na página TROCS (103) no caso da seta da direita, primeira opção; e DRUVS (32) no caso da seta da esquerda, segunda opção. Depois retorne e prossiga o seu caminho. Se não quiser perder tempo dando pulinhos aqui e ali, escolha o que preferir e continue a leitura.

Você ouve, longe, quase inaudível, uma voz delicada falando que está na hora de acordar, pois daqui a pouco seus pais estão chegando e você precisa tomar o seu café. Pouco a pouco, você desperta e percebe que está na cama, dentro do quarto, na casa da tia Eva, em segurança.

Olha para o chão e vê que os cobertores foram arremessados longe, o travesseiro está todo amassado, sob seu braço direito, seu corpo está suado e sua boca ressecada. Você, então, respira com alívio: foi mesmo um pesadelo.

Com esforço, vai até o banheiro, faz xixi, lava o rosto e vê, no espelho, que seu cabelo está todo espigado, você parece um pica-pau. Você sorri e faz um monte de caretas. Escova os dentes diligentemente, como o doutor Roberto ensinou, dá uma última olhada na sua imagem, conferindo se tudo está no lugar certo, e vai até a cozinha, onde encontra tia Eva, a boa e doce tia Eva. Dá um sonoro beijo no rosto dela e, então, escuta o barulho das rodas do carro de seus pais amassando o cascalho da entrada da garagem. *Et voilà*, fim de férias.

Mas espere só um segundo antes de fechar o livro. Eu quero falar com você. Leia a página ao lado, por favor.

E então, gostou ou não da história? Você leu rapidinho.

Se gostou, que tal fazer propaganda do livro para os amigos?

Se não gostou, faça propaganda para os inimigos.

Se gostou e quiser, a qualquer momento você retoma a leitura e escolhe outras opções. E vai ser uma nova história.

De qualquer modo, tendo ou não gostado, pretendendo ou não recomeçar, quero dizer que foi muito bom ter estado este tempo junto com você. Você foi um grande companheiro de aventura.

A gente se despede aqui, não dizendo adeus: dizendo até qualquer dia.

Um forte abraço da

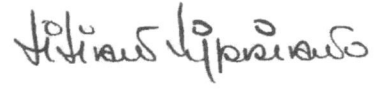

Por conta própria ou por sorte, VOCÊ escolheu seguir pela esquerda. Muito bem, então pode continuar caminhando.

Você empurra a bicicleta, que pesa uma barbaridade, ladeira acima, e, apesar da friagem da noite, suas roupas estão suadas, grudadas ao corpo. Você não tem, na verdade, a menor ideia do caminho que está seguindo, não sabe onde ele vai dar, mas, a esta altura do campeonato, tanto faz. Importante é seguir em frente. E você anda, não muito depressa por causa da noite, cuidando para não pisar em falso ou em algum buraco. Afinal, pra coroar a noite, só faltava você machucar o pé...

Uns cem metros adiante você para: bem a sua frente, jogado sobre um monte de barro, numa posição retorcida, você vê um corpo humano. Um corpo que, apesar da escuridão, você acredita ser de um homem.

Você fica chocado, imobilizado, sem saber o que fazer, como agir. Aquela criatura ali, jogada, inerte, com certeza está morta. E você nunca, em toda a sua vida, viu um morto ao vivo. O suor aumenta, escorrendo pelos braços e pelo pescoço; o coração acelera, descompassado; a garganta fica ressecada, sem uma única gota de saliva pra amenizar as engolidas em seco.

Vagarosamente, você deita a bicicleta no chão e se aproxima com cautela. Será que aquele morto está, realmente, morto? Será que existe alguma possibilidade de, de repente, ele pular sobre você, agarrar seu pescoço e sacudir sua cabeça, como se fosse um boneco de molas? Será?

Lentamente, você vai ao encontro dele, sentindo o estômago se contorcer de fome e de pânico. Faltam cinco passos, quatro, três, dois, um... e pronto, você está junto do morto. É um homem, você acertou, caído de barriga para baixo, o rosto semicoberto pela lama da chuva. Você olha detidamente, mas, por mais que procure, não vê sangue. Talvez, você pensa, ele tenha tido um mal súbito, tipo enfarte. Bem devagar, você estende a mão para sentir se ele ainda respira, mas só por desencargo de consciência, porque o cara parece bem morto. Mas quando você toca levemente no pescoço dele, o morto dá um gemido longo e profundo.

O susto é inevitável – afinal, você não é de ferro. Dá um pulo para trás e vê, cheio de pavor, que o homem faz umas caretas e balbucia umas palavras que você não consegue entender. Mesmo morrendo de medo, você continua ali, esperando nem sabe o quê, apesar de seu sexto sentido lhe dizer para correr, sair dali o mais depressa possível.

Pouco a pouco, aqueles murmúrios se transformam numa lamentação e, com dificuldade, você começa a perceber o que o homem diz: "... bota mais uma aqui, mas caprichada! À sua saúde, meu camarada! Dessa não, eu quero daquela que matou o guarda, ah, ah, ah!".

Não precisa nem ser muito esperto pra perceber que o morto, na verdade, está bêbado e vivo. Você sacode o ombro dele, e o homem abre os olhos e custa um bom tempo a fixar a sua imagem. Depois de uma eternidade, ele abre um sorriso em que faltam muitos dentes e diz: "Barreto, amigão, que tal mais umazinha? A saideira?".

Naturalmente você não é o Barreto e sequer bebe umazinha. Mas, como o coitado está bêbado de cair, e com bêbado não se discute, você se sente na obrigação de dar uma força a ele. Chegando perto, diz pra ele se levantar pra vocês poderem conversar. A duras penas, e com sua ajuda, o homem consegue se sentar

e, entre soluços, explica que bebeu um pouquinho a mais nesta noite, mas com motivos. Afinal, ele explica, essa é a "noite da cateia".

Noite da cateia? O que é cateia? Algum tempo depois, você descobre que *cateia* é o coletivo de lobos, ou seja, *alcateia*. Mas, ainda assim, você não entende o que vem a ser a "noite da alcateia".

Apesar da bebida, o homem explica. Em noites de sexta-feira de lua cheia, os lobos saem de suas cavernas à procura de alimento para os seus filhotes. E tudo quanto é vivo serve, desde passarinhos até bezerros, não muito comuns por aquelas bandas. Os lobos só não atacam pessoas com cheiro de álcool, porque a carne fica ruim pro gosto deles.

Você acha graça no que o homem diz e começa a rir. Então, de repente, você escuta o primeiro uivo, próximo, muito próximo, e sente os pelinhos do braço se arrepiarem. O homem arregala os olhos e se agarra a você. Você se desembaraça dele e fica a uma distância prudente, para evitar nova investida. "Ó o cara, aí..."

Quando escuta o segundo uivo, muito mais perto, é você quem se agarra ao bêbado. Pelo sim, pelo não, com o cheiro que se desprende do corpo dele dá pra se imaginar num alambique e, caso venham os lobos, você está sob a proteção do odor pestilento.

Os uivos se sucedem, se sobrepõem e você conta, assim por alto, cerca de vinte uivos diferentes. A esta altura, o homem está um pouco menos bêbado e, com dificuldade, levanta-se e diz que está na hora de ir andando, porque ficar ali pode ser pior. Segundo ele, se os lobos chegarem, vão fazer um círculo em volta de vocês até transformá-los em presas indefesas. Aí, "babau", os dois viram comida de lobinhos.

Você ajuda o coitado a se levantar, pega a bicicleta e sai andando como pode, amparando o bêbado, equilibrando a bicicleta, ouvindo os sons aterradores dos lobos, que estão cada vez mais perto.

Vez ou outra, o homem cai e você o ampara. Quando não é ele, é a bicicleta, que pesa uma enormidade, e que escapa do seu controle, tombando para o lado da trilha estreita. Em dado momento, o infeliz para, apura os ouvidos e diz que as feras estão cada vez mais próximas, que já é possível escutar o barulho que suas patas fazem na terra.

Por mais que tente, você não ouve nada, mas não está em condições de duvidar, está? Tudo bem, ele está bêbado, você, não, mas ele é do interior; você, da cidade grande. Então, ele tem muito mais chance de conhecer esses barulhos e identificá-los. Vocês aceleram o passo, até porque ele diz que estão pertinho, pertinho da cabana dele e ali vocês estarão seguros.

De repente, diante de você, surge um problema: uma pinguela. Você sabe o que é uma pinguela? Não? É uma ponte estreita de madeira, tipo uma viga, normalmente feita com um tronco de árvore, sem corrimão, sem segurança e que balança um bocado quando você passa sobre ela.

Você olha para a pinguela, para o bêbado, para a bicicleta e avalia. Os três passarem juntos é impossível. Alguma coisa precisa sobrar nesta história. Então você escuta os uivos arrepiantes chegando perto. Você não tem muito tempo pra escolher, porque os lobos famintos estão chegando.

Se quiser, pode dar uma voltinha pela sala, beber uma aguinha ou comer um chocolate. A história pode esperar você se refazer.

Você faz a sua segunda escolha e vai para a FASE 3.

▶ Se você acha que o mais sensato é deixar o bêbado e a bicicleta para trás, e só você atravessar a pinguela, pra ficar a salvo, então vá para a página 37. Mas atenção: cuidado ao atravessar.

▶ Se você acha que, por dever de consciência, não pode abandonar o pobre homem ali, à mercê dos lobos, nem a bicicleta, que afinal nem é sua, e que tem que seguir todo mundo junto, então vá para a página 45. Desejo que você consiga.

▶ Se você detesta lobos, bêbados, bicicleta com pneu furado, histórias escabrosas e noites frias, já está de saco cheio deste livro e quer terminar logo a leitura, então volte para a página 17.

Não sei se você usou a moeda, ou não, mas sei que você escolheu ir pela esquerda, certo? Então, boa caminhada e BOA SORTE!

A trilha é estreita, e às vezes fica complicado se manter nela e, principalmente, não tropeçar nas pedras. Cuidado para não furar o outro pneu, porque, se isso acontecer, tudo vai ficar mais difícil, com certeza.

Você precisa de muito esforço para segurar a bicicleta porque, apesar da escuridão em volta, percebe que está num declive, ainda debaixo das árvores. Precisa prestar muita atenção porque o chão, à medida que você caminha, fica mais escorregadio. A temperatura é cada vez mais baixa, e você percebe que está se embrenhando mais e mais no bosque. Uma voz interior informa que você está se afastando cada vez mais da trilha inicial, desse jeito vai ficar difícil chegar à casa de tia Eva. Mas uma outra voz se impõe e diz para você caminhar um pouco mais, para ver o que acontece.

Você continua em frente, controlando a bicicleta, e começa a reparar que a visibilidade está cada vez menor. Olha para o céu e vê, novamente, agora que a chuva estiou, aquela imensa lua cheia e um céu coberto de estrelas brilhantes. Puxa, você pensa, com um luar desse era para o caminho estar claro, pelo menos um pouco. No entanto, está tudo escuro, quase sem luz.

Só então você se dá conta da neblina. Porque ela não foi embora. Ao contrário, caminha no sentido inverso ao seu e é tão densa que mal é possível vislumbrar o contorno das árvores. Você redobra a atenção, para evitar sair da trilha ou, quem sabe, pisar num buraco e se machucar. Continua andando, cada vez mais envolvido pela cerração, que esfria seu corpo ainda molhado, grudando no seu rosto.

Até que você não consegue mais distinguir o caminho, não vê nem as pontas dos seus pés. Impossível continuar. Você para, deita a bicicleta no chão e senta sobre a roda traseira, que já está arrebentada, mesmo.

O desânimo toma conta de você. Consulta o relógio e vê que são, exatamente, 7 horas, 22 minutos e 14 segundos. O frio aumenta, até porque você não está fazendo nenhum movimento, e seu estômago resolve dar o ar da graça e começa a roncar. Ao primeiro rugido dele você se assusta, tão alto e cavernoso ele foi. E, então, a dorzinha de barriga aparece, aquela que você sente todas as vezes que está em situação de pânico.

E por falar em pânico, você ao menos sabe onde está? Passou pela página DRUVS (32)? Não? Usou a massa cinzenta e descobriu aonde seus passos o levam? Está sem rumo? Bom, não vou ficar aqui fazendo um interrogatório. O fato é que os dizeres daquela setinha da esquerda, antes da brincadeira idiota de um imbecil, eram PÂNTANO TENEBROSO. Isso significa que você está indo para um pântano, numa noite escura, no meio da neblina, e o pior: absolutamente só. Nem vou falar que você está com frio e com fome, porque pode parecer que sou cri-cri e que estou me divertindo horrores com a sua situação. E não é esse o caso. O caso é que está na hora de você se levantar e seguir adiante. Você escolheu este caminho; portanto, vá em frente. Direto para a página 33.

Muito bem, aí vai uma força pra você.
A seta da esquerda mostra as letras:

São duas palavras. A primeira, trissílaba proparoxítona, é sinônimo de *charco, brejo, atoleiro, lamaçal*.

A segunda tem quatro sílabas:

• primeira sílaba, duas letras: o que cobre a casa (1ª sílaba);

• segunda sílaba, duas letras: o que a gente é quando nasce (1ª sílaba);

• terceira sílaba, três letras: criança pequena tem no pescoço, quando faz calor; coça muito e fica avermelhada (1ª sílaba);

• quarta sílaba, duas letras: as duas primeiras letras de uma coisa que cachorro adora roer, vistas num espelho, ou as duas últimas.

E aí, sacou?
Se sim; prossiga a leitura.
Se não, lamento, mas você vai ter que continuar sem saber bem onde pisa.

Você se levanta, ergue a bicicleta e recomeça a caminhada. Quase 8 da noite. Algumas centenas de metros adiante, finalmente, você percebe, apesar da neblina, uma placa fincada numa moita alta. Chega perto, firma a vista e lê: CUIDADO! AREIA MOVEDIÇA.

Não faltava mais nada. Andar na escuridão e, ainda por cima, correndo o risco de pisar numa areiazinha inocente e ser gulosamente tragado por ela!

Você redobra o cuidado, passo a passo, olhando cautelosamente onde pisa. A bicicleta continua pesando, impedindo você de caminhar com desenvoltura. Você olha pra ela e, sem refletir muito, puxa com o pé o descanso da roda e a estaciona junto a uma árvore. Amanhã, você acorda cedinho e, antes de voltar pra casa de seus pais, dá uma fugida até ali e recupera a coitada. O que não dá mais é pra prosseguir com ela.

Você ainda olha para trás, com certa indecisão, mas o cansaço vence e o bom senso, também. Logo, como por milagre, você vê ao longe uma luz fraca, tremulante, que brota de uma pequena janela, revelando por detrás daquela vidraça uma pequena casa. Era tudo o que você precisava. Na mesma hora você faz planos: primeiro, pegar o telefone e avisar à tia Eva que você está, apesar dos pesares, bem e a salvo. Depois, secar as roupas no calor de uma lareira, quem sabe? E, claro, comer alguma coisa pra amenizar a fúria do estômago.

Você acelera o passo, mirando a luz. Até que, à sua frente, uma outra placa aparece, esta sobre uma pequena caixa de correio, informando:

ESTRANHOS NÃO SÃO BEM-VINDOS. CASA DE MADAME BRUNILDA. CONSULTAS COM HORA MARCADA: FEITIÇOS, MANDINGAS, TRABALHOS PRO BEM E PRO MAL. PREÇOS MÓDICOS.

Você sente a vida fugir do seu corpo. Não faltava mais nada: uma feiticeira no seu caminho!

Agora, nós fazemos uma outra...

Hora de escolher. Se você tem aquele crucifixo, ou a medalha, ou o talismã ou o amuleto da sorte, sugiro que segure firmemente na mão antes de fazer sua escolha. Se não tem, lamento muito. Nem tudo é perfeito, certo?

Então você faz a sua terceira escolha e vai para a FASE 4.

▸ Se você acha que vale a pena ir até a casa, mesmo sabendo que ali mora uma bruxa, então siga para a página 93 e BOA SORTE!

▸ Se você acha que já tem problemas demais e não quer acrescentar outros, que é melhor evitar contatos com o Além, então vá para a página 86 e, também, BOA SORTE.

▸ Se você já não aguenta mais a história e quer terminar logo pra poder assaltar a geladeira e assistir à tevê, então vá para a página 68 e, naturalmente, nem precisa de BOA SORTE. A não ser que resolva comer três sanduíches de mortadela, com dois copos de suco de laranja, quatro iogurtes e, pra finalizar, uma boa fatia de melancia. Aí, quem vai precisar de muita sorte é seu estômago. Siga para a página e, depois, para o banheiro.

Nas suas escolhas, você optou pela história mais longa, e conseguiu chegar a um dos finais mais atemorizantes. Não sei se sentiu medo e, se sentiu, se foi muito ou pouco. Mas você conseguiu, e tenho que reconhecer: VOCÊ TEM CORAGEM.

Cá entre nós, e que ninguém nos ouça, muitas vezes, enquanto estava escrevendo o texto na tela do computador, ali, juntinho do meu rosto, eu senti medo, nem sei do quê. Algumas vezes, sentia uns calafrios; outras, me levantava e dava uma voltinha, pra disfarçar e pra me recuperar. Não sinto a menor vergonha de confessar isso porque sei que você entende o que passei.

Espero que você tenha gostado da história, que tenha sentido que ela acontecia com você, verdadeiramente. Qualquer dia desses a gente se reencontra nas páginas de um outro livro e caminha lado a lado novamente. É o que desejo.

Foi um grande prazer ter tido você como companhia.

Mais uma vez, parabéns pela coragem, um forte abraço e um até breve.

Março/abril de 95

Bem, você decidiu abandonar o pobre-coitado-bêbado à própria sorte e seguir caminho, certo? A meu ver, é uma certa falta de solidariedade, mas tudo bem, escolha é escolha. Então, vamos em frente.

Tentando calcular pelo som dos uivos a que distância os lobos estão de vocês, você acelera o passo em direção à pinguela enquanto procura, com os olhos, algum lugar onde possa largar os dois pesados fardos que carrega. Logo adiante, vê um emaranhado de troncos caídos e de árvores velhas e mortas. Como por milagre, formam um tipo de sofá, uns sobre os outros. Lugar melhor você não encontraria nem que caminhasse mais dez léguas, com certeza. E é ali mesmo que, com bastante cuidado e consideração, você encosta a bicicleta e senta o bêbado. Mal toca no assento, ele deita sobre o tronco e dorme. Você continua escutando os lobos, que estão cada vez mais perto; e, já que está livre, se precipita para a frágil ponte.

Antes mesmo de colocar o pé sobre ela, você percebe que não vai ser fácil: a madeira está toda quebrada, em muitos lugares faltam pedaços, e ela se encaixa na terra, na cabeceira do rio, presa por um pedacinho de nada. Ainda bem que você não pesa muito, porque, do contrário, a pinguela poderia não resistir.

Você respira fundo, olha para o céu pedindo proteção e dá o primeiro de vinte e cinco passos. A madeira range e verga à medida que você caminha. Proteção, nenhuma. Você anda de lado, como caranguejo, e evita olhar para baixo pra não sentir vertigem e despencar lá de cima, apesar de que não deve ter mais de cinco metros de altura da ponte até a água.

Mais alguns passos e você está, felizmente, na metade do caminho. O resto agora é fácil.

Nesse momento, você olha para trás, para conferir o percurso já feito, e seu coração para, suas pernas paralisam, seus olhos se arregalam e um suor gelado cobre seu corpo, tudo ao mesmo tempo.

Na cabeceira da pontezinha está um lobo imenso, orelhas empinadas, olhos atentos que brilham à luz da lua, a boca aberta, dentes à mostra. E, atrás dele, os vultos de no mínimo mais vinte lobos. Apesar de não os distinguir bem, você imagina que tenham exatamente as mesmas características desse primeiro.

Vencendo a paralisia, você se move, com cuidado mas cada vez mais rápido, sempre andando de lado. Olha para o outro lado e calcula que faltam menos de dez passos. Um, dois, três... Olha de novo para os lobos e vê que seguem em fila e estão bem perto, cada vez mais perto, pertíssimo de você. Quatro, cinco, seis...

Você torna a olhar e percebe que a fila aumentou consideravelmente e está bem perto. Já dá até pra sentir o cheiro deles, ouvir sua respiração. Você toma uma decisão: dá o sétimo passo e, num salto olímpico, elimina os outros que faltam, pulando direto para terra firme. Pronto, você conseguiu.

Rapidamente, você se abaixa, segura com firmeza a madeira da pinguela, mesmo machucando as mãos, faz um esforço sobre-humano e desloca a ponte alguns centímetros. Os lobos param e olham para você com olhos frios e bastante aborrecidos. Eles perceberam o seu plano. Você, então, vislumbra uma chance de derrotá-los – se souber aproveitá-la, claro. Aí, você...

Aqui, a gente dá uma outra PARADINHA TÉCNICA.

Você faz a sua terceira escolha e vai para a FASE 4.

▶ Se acha que consegue levantar a pinguela, empurrá-la para o lado e derrubar toda a alcateia dentro d'água, ficando a salvo, vá para a página 70. Tomara que consiga! Se não...

▶ Se acha que não tem a menor chance de erguer aquela ponte, que nem adianta tentar, e já se conformou em virar comida de lobo, vá para a página 41. Só espero que você não se debata muito para espalhar pouco sangue.

▶ Se acha que esta história está uma chatice, que isso jamais poderia acontecer com você, que provavelmente está sonhando, volte para a página 22. E eu vou cantar "nana, neném" pra você.

Na hora H, você fraquejou. Seus músculos não conseguiram levantar a ponte, talvez por conta do cansaço, da fome, do pânico. Ou, quem sabe, porque você não tem mesmo tanta força?

Não importa, o fato é que o primeiro lobo está a menos de um metro de você, que ainda está abaixado, segurando a madeira. Se eu fosse você, ao menos me levantaria, pra morrer com dignidade.

Apesar do medo, você se levanta devagar, sempre olhando fixamente os olhos do primeiro lobo, os dentes afiados, a língua que lhe escapa da bocarra escancarada. Pronto. Você está pronto para a primeira dentada, a primeira mastigada, a primeira triturada daquele animal esfomeado. E o bicho salta sobre você.

Neste exato momento, apesar de psicologicamente consciente da morte iminente, você reage por instinto, pulando para trás. Então, acontece uma coisa incrível. Você pisa em falso numa terra escorregadia, úmida, e desliza pelo barro como se estivesse num escorregador, em direção ao rio. Você está num tobogã natural, mas nem tem muito tempo para curtir a descida porque aterrissa na água.

O mergulho é profundo, e o impulso joga você de encontro ao fundo do rio. Outro impulso e você sobe à tona; aí, olha para cima. E vê vinte e poucos pares de olhos olhando fixamente para você, vinte e poucas bocarras agora fechadas. Você conseguiu. Eles não demonstram a menor intenção de mergulhar, de praticar caça subaquática. Você bate os braços e as pernas, em estado de euforia, espirrando água em cima deles que, rabos entre as pernas, vão se afastando. Uivam, mas, desta vez, não pra pegar você. Possivelmente, são uivos frustrados e famintos.

Livre, você está livre.

Você se deixa ficar ali, apesar da friagem da água, corpo solto, boiando, rosto virado para o céu, admirando aquela lua cheia que praticamente transforma em dia a paisagem.

E, então, você considera que, apesar de ter largado o bêbado, de certa forma o salvou, porque os lobos seguiram o seu cheiro, e agora estavam longe dele, em outra direção, com certeza à procura de algum animal ou humano desavisado.

Só mesmo quando o frio fica incontrolável é que você decide sair da água, mas para a margem oposta àquela em que estava. Nada até lá, sobe o barranco e deixa o corpo cansado cair na relva.

Depois de descansar um pouco, você vai até onde deixou o bêbado e a bicicleta. Ele continua dormindo, roncando feito um porco. Ela continua encostada no mesmo lugar. Você segura firmemente no guidom, olha para o homem e continua a caminhada, empurrando a bicicleta, acompanhando o rio.

Muito tempo depois, você consulta o relógio: 9:27 da noite. Caramba, a esta altura tia Eva está mais que preocupada, está desesperada. Deve ter telefonado para os seus pais, que, certamente, já estão a caminho. Puxa, como é que você vai explicar toda essa história pra eles? Na melhor das hipóteses, vai ficar um mês de castigo, sem sair de casa, sem ir ao *shopping*, sem jogar *video game*, sem assistir à tevê.

Você ensaia frases na cabeça, escolhendo aquelas que podem diminuir, ao menos um pouco, a bronca que vai levar. De repente, escuta ao longe o barulho de um motor. Apura os ouvidos e confirma: um barulho possante, forte. E, no meio do ronco, ouve vozes que falam ao mesmo tempo. Um jipe aparece no seu campo visual, brilhante, iluminado pelo luar, com quatro pessoas dentro. Você respira fundo e grita, acenando:

— Ei, aqui, eu estou aqui!

Que alívio! O resgate chegou!

O motorista manobra o carro em sua direção e freia ao seu lado. Olha um pouco incrédulo e pergunta quem é você e que diabos está fazendo ali, àquela hora, no meio da noite e, ainda por cima, empurrando uma bicicleta.

Só então você percebe que eles não estavam procurando você, nem sabiam da sua existência. Decepção, é verdade, mas o que importa é que está a salvo. Você explica o que aconteceu, e eles, depois de alguns cochichos entre si, decidem lhe dar uma carona, levar você de volta. Você sobe no jipe. Um dos homens prende a inútil bicicleta num gancho da parte traseira e amarra-a com umas cordas. Logo, você está de volta. Dez minutinhos depois, está diante da casa de sua tia, que, por incrível que pareça, não está esperando na porta: está na janela.

Quando um homem está desamarrando a bicicleta, um outro faz um comentário que deixa você sem entender nada:

— Rápido, precisamos voltar para o bosque e prosseguir na busca. Hoje é a noite dele e, com certeza, ele vai atacar novamente. O garotão teve sorte.

Você pensa em perguntar o que está acontecendo, mas, neste momento, tia Eva aparece na porta e grita seu nome, desesperada, abraçando, beijando, asfixiando você com carinhos aliviados.

O carro arranca e você nem tem tempo de agradecer.

Mas ficou a semente da curiosidade: noite de quem? Quem vai atacar?

Quer saber? Vire a página.

Na verdade, VOCÊ TEVE MESMO MUITA SORTE. Esses homens estão caçando... como direi... uma coisa apavorante. Uma coisa assustadora. Uma coisa monstruosa. Não posso dizer que coisa é essa. Mas, se você quiser saber, retorne até a página 29 e siga pela segunda opção até a página 45. Divirta-se, leitor curioso.

E EU LHE DESEJO MUITO BOA SORTE!

Bem, você escolheu continuar carregando aquelas duas "malas sem alça" porque não tem coragem de abandonar o homem à própria sorte, nem mesmo a bicicleta, que não é sua. Então, sugiro que continue caminhando – e rápido, porque os lobos estão chegando.

Você dá três passos para a frente e se abaixa pra levantar o bêbado, que cai a todo momento. A princípio, você deita a bicicleta no chão e pede, com educação, que o homem se levante. Depois de umas vinte abaixadas, você já perdeu a calma e as boas maneiras: joga o cavalo de aço e grita com o bebum.

Os lobos estão cada vez mais perto. Você se dá conta de que alguma coisa está errada. Por que, andando vagarosamente como vocês estão, os animais ainda não os alcançaram? Até parece que eles só estão acompanhando vocês. É uma pergunta que você, por mais que tente, não consegue responder. Mas é estranho, muito estranho.

De repente, você pisa numa pedra grande, que não viu, apesar da claridade da lua cheia, e leva um tombo e tanto. Quando cai, seu corpo amassa seu próprio pé direito, e um relâmpago de dor ilumina seu cérebro. A dor é insuportável, e você agarra seu pé, como se isso fosse fazer com que ele melhorasse. Você nem consegue respirar direito, de tanto que dói. O bêbado, por sua vez, também caiu e, por incrível que pareça, já está dormindo novamente. A bicicleta está jogada, meio retorcida, ao seu lado. Você massageia o pé torcido e percebe que ele está começando a inchar. Como providência, tira o tênis e a meia e constata que um tom arroxeado começa a aparecer perto do tornozelo. Só faltava essa, não poder continuar caminhando!

No chão, você levanta os olhos e vê, a poucos metros de distância, os lobos parados, atentos, preparados para atacar.

O medo invade seu corpo, aperta seu estômago faminto, fecha sua garganta, impedindo até mesmo um gritinho fino. E você sente uma incontrolável vontade de fazer xixi. Calma, segura um pouquinho mais. Vai ficar de roupa molhada como se fosse criança? Que vexame!

Os segundos passam, os minutos se arrastam e a situação não muda: o bêbado dorme, os lobos observam, seu pé dói cada vez mais.

Você não consegue entender o que está acontecendo, não percebe por que aqueles bichos não atacam logo de uma vez, acabando com o seu sofrimento e o seu desespero.

Mas nada. Eles continuam parados, em expectativa.

Você se dobra sobre seu corpo, abraça os joelhos e fica, também, à espera do momento crucial. Porque, com certeza, de repente, ele vai acontecer. Aqueles animais vão fazer picadinho de vocês.

Você sente os músculos pesados, os braços gelados, as mãos entorpecidas. E abre os olhos: você dormiu, acredita? Numa situação dessas, você dormiu. Até sonhou, só não lembra o quê. Olha o relógio e vê que são 11:30 da noite. Os lobos continuam lá, sentados sobre as patas traseiras. O bêbado começa a dar sinais de vida, gemendo, se contorcendo, arquejando, numa respiração meio sufocada. Você, apesar do pé, agora completamente inchado e sem movimento, tenta alcançá-lo com a mão gelada, para que ele se cale, evitando atiçar os bichos. Quando sua mão toca o braço do bêbado, ele dá um pulo inesperado e se põe de pé. Vocês se olham. Você fala baixo, procurando não irritar os lobos, e diz que está tudo bem, tudo sob controle. Não está, claro, mas alguma coisa você precisa fazer para que aquele homem fique quieto. De repente, você nota alguma coisa esquisita nos olhos dele. Estão congestionados, avermelhados, e parecem maiores e mais redondos. Os olhos dele estão presos aos seus, e os seus aos dele. E o homem começa a ter uns tremores, como se fosse ter um ataque, e leva as mãos ao pescoço, como se estivesse prestes a sufocar. Você não consegue se mover e fica olhando, num misto de pavor e pena. E, então, começa a se dar conta do que está acontecendo. A princípio, sem entender muito. Mas logo entendendo tudo.

O rosto do homem incha e escurece, o cabelo começa a ficar eriçado e comprido, e vai aos poucos tomando toda a cabeça, inclusive o rosto; as orelhas aumentam de tamanho e ficam pontiagudas; a boca se repuxa e se transforma num focinho; os braços ganham uma pelagem que vai aumentando até se tornar um pelo espesso e escuro; as mãos viram garras; os pés, patas. A altura do antes bêbado já é duas vezes maior do que era. E a certeza explode dentro de você: aquilo ali não é o bêbado que você carregou por centenas de metros. Aquilo ali não é um homem. Aquilo ali é um LOBISOMEM.

Só então você entende por que os lobos não atacaram. Claro, eles não poderiam atacar seu próprio mestre.

Você tem aí a medalha, o crucifixo, o talismã ou o amuleto? Se tem, segure firme e peça proteção. Você tem problema cardíaco? Se tem, é melhor abandonar a leitura e correr pro seu remédio. E a água com açúcar, trouxe? Quer um gole? Tem alguém perto de você? Se tem, que tal segurar a sua mão?

Bem, quanto a você não sei, mas eu vou continuar. Você vem?

Aquela coisa começa a uivar e a se contorcer, nos espasmos finais da transformação. Falta pouco, muito pouco mesmo para ele ser, completamente, um LOBISOMEM. Você não tem tempo a perder. Dane-se o pé machucado, dolorido. Dane-se a bicicleta emprestada. Danem-se os lobos, se vão correr atrás de você e atacar. Você tem que correr, e muito, como se estivesse disputando uma prova olímpica e tivesse que vencer. Porque é questão de vida ou morte, você já deve ter percebido. Ou não? Se não, tente perceber enquanto corre, porque tempo é o que não existe.

Você dá um salto e dispara a correr em campo aberto, iluminado pela lua cheia, que brilha inocente no céu, sem dar a mínima para a sua situação. O pé dói tanto que parece amortecido e pesado. Mas você não quer nem saber, tudo o que quer é aproveitar aquela ligeira vantagem momentânea, enquanto o monstro termina de virar monstro, antes de vir perseguir você.

O tênis ficou esquecido, e você nem se importa com isso. Se escapar desta, compra outro. Dane-se. Você corre o mais que pode, olhando de vez em quando para trás, porque não quer ser surpreendido por aquilo. E, então, numa dessas olhadas, percebe que ele já está caminhando, um pouco devagar, é verdade, mas vindo em sua direção. Gradativamente, o monstro começa a ganhar velocidade, e, agora, já está correndo, quase alcançando você. Entre vocês dois a distância não passa de vinte metros.

Dezenove. Dezoito. Dezessete.

Oh, céus, me ajudem!

Dezesseis. Quinze. Quatorze.

Você já não consegue correr como antes. Seu pé voltou a doer, suas pernas estão pifando. Seu coração bate feito um surdo de escola de samba.

Treze. Doze. Onze.

Num último esforço, você tenta uma arrancada final, e ordena às suas pernas que corram, corram, nada de fraquejar agora.

Dez. Nove. Oito.

Não vai dar, você sabe que não vai conseguir. O uivo dele paralisa seu coração. O resfolegar dele ensurdece os seus ouvidos. O cheiro dele enjoa o seu estômago.

Sete. Seis. Cinco.

Você desiste de olhar pra trás. Recusa-se a ver aquele ser animal já quase sobre você, aquela coisa inumana, sedenta de sangue, pronta para dilacerar, morder, trucidar, matar.

Quatro. Três. Dois.

E, aí, eu é que preciso parar. Não posso continuar neste pique porque eu já estou morrendo de medo.

PARADA TÉCNICA DA AUTORA. INEVITÁVEL.

Volto já, vou beber um copo d'água com açúcar. Se quiser, aproveite e beba um também.

Quando a gente volta, você faz a terceira escolha e vai para a **FASE 4.**

▸ Se você acha que aquele um metro que faltava não falta mais, que AQUILO pulou sobre você e começou a dilacerar sua carne em tiras, beber seu sangue, morder seu corpo, vá para a página 63. E, sinceramente, lamento muito o seu triste fim.

▸ Se você acha que nem tudo está – ainda – perdido, que um metro são cem centímetros e que, nesse espaço, muita coisa pode acontecer, então vá para a página 74. E parabéns pelo seu otimismo.

▸ Se você está completamente em pânico e tudo o que queria era um final de história mais suave, sem sangue, sem medo, que você pudesse terminar de ler sem ter perdido a sua dignidade, então vá para a página 68.

Você escolheu continuar pela direita, seguindo os dizeres da seta, correto? Então, boa caminhada!

Você continua andando, as nuvens ameaçadoras ainda sobre sua cabeça, tentando decifrar aquele grupo de letras sem sentido. A bicicleta, empurrada por você, oferece uma certa resistência. O pneu, a esta altura, não tem nem mesmo um tico de ar. E você pensa, pensa, mas não chega a nenhuma conclusão.

Ao longe, um outro raio corta o céu num caminho de fogo e, em seguida, o estrondo de um trovão se faz ouvir. Provavelmente, daqui a pouco vai tornar a chover. Você acelera o passo o mais que pode, tentando enxergar o caminho, apesar da neblina. Até parece que está vivendo um filme de terror, com toda aquela cerração esbranquiçada vindo ao seu encontro.

E você pensa, enquanto anda, nos dizeres da seta.

Tá difícil? Quer uma ajudinha? Então, dá uma passadinha na página TROCS, que tem umas dicas para você. Não sabe onde fica? Procure a pista no último parágrafo da página 21.
Voltou? Então, adiante!

Você está seguindo em direção ao CEMITÉRIO MUNICIPAL DA COLINA. Já esteve num cemitério numa sexta-feira, noite de lua cheia, com uma tempestade prestes a desabar sobre você? E absolutamente só? Não? Pois está agora: porque na sua frente surge, como num passe de mágica, um enorme portão de ferro, com pontas finas espetadas para o céu. E você constata que ele está parcialmente aberto, como se alguma coisa ali dentro estivesse todo o tempo a sua espera. Está com medo? Quer voltar? Se quiser, tudo bem, eu vou entender que, afinal, a sua coragem não é tanta. Ou vai continuar? Gostei de ver a sua determinação. Mal você coloca o pé no vão do portão, escuta um barulho que faz seu coração pular. Parecem latidos de muitos cachorros. Você olha para trás e, apesar da neblina, vislumbra pequenos vultos saltitantes, vindos em sua direção, e fica em pânico. Só falta um ataque de cães, provavelmente selvagens, sem dono. Sem tempo de refletir no que é melhor fazer, agindo tão somente por impulso, você passa pelo portão e fecha-o às suas costas. A fechadura se trava, exatamente no momento em que os cães – uns doze, mais ou menos – iam entrar. Eles ficam do lado de fora, mas tentam de qualquer maneira passar entre as barras de ferro, que, felizmente, têm intervalos bastante estreitos. Você respira com alívio. Escapou!

Só que, quando entrou, você deixou a bicicleta para trás. Mas tudo bem: mais tarde você pode recuperá-la. Numa noite destas ninguém sai de casa para pegar a bicicleta de alguém. Até porque ali, naquela cidade, não tem ladrão.

Você anda pra frente, entre túmulos altos e sepulturas baixas, rentes ao chão. Cada vez que um raio cruza o céu, as construções adquirem um tom esbranquiçado, fantasmagórico. Você tenta, apesar da pouca claridade, não pisar sobre os mortos que estão ali enterrados, por uma questão de respeito. Mas não dá pra deixar de sentir a boca seca, sem um nada de saliva para molhar os lábios e a língua, o coração batendo forte, acelerado, o suor escorrendo pela testa e empapando a roupa. E você não tem outra alternativa a não ser andar. Os cachorros ainda não desistiram e continuam latindo, ameaçadores, aterrorizantes.

Neste momento você escuta – longe, muito longe – uma música. Apura os ouvidos, porque pode ser ilusão auditiva, e reconhece. É realmente uma melodia, tocada por algum instrumento de cordas; ao fundo, uma voz doce e melodiosa. Você para, tentando

descobrir de onde vem som tão maravilhoso. Quem sabe sua aventura terminou? Quem sabe ali, dentro daquele cemitério, não mora o coveiro, um homem simples e decente, que tem uma esposa ou filha dedicada, e que fique condoído da sua triste situação e providencie um lugar seco e quente para você passar a noite, comida para encher o seu estômago minguado, um teto sobre a sua cabeça, até amanhecer o dia?

Você segue a música até chegar a uma pequena igreja situada no canto esquerdo daquela ruazinha, que parece ser a principal, por onde você seguiu. A igreja, ao que parece, não tem janelas, só uma porta de vidro colorido, formando desenhos de anjos e santos. Está entreaberta e, com certeza, é dali que vem aquele som mágico.

Você empurra um pouco mais a porta e vê, ao fundo, sentada sobre um pequeno banco, uma moça, quase menina, os longos cabelos louros caindo sobre o rosto, debruçada sobre uma harpa, dedilhando a canção que você ouve. Quando ela percebe a sua presença, para de tocar e olha longamente para você. Nos cantos da pequena capela, castiçais sustentam velas, e delas brota uma luz tênue, mas que permite que se enxergue ao redor. A moça-menina sorri e acena chamando você, que, sob o fascínio daquela beleza e da melodia, dá alguns passos à frente. E, então, está na hora de outra...

Antes de prosseguir, acomode-se bem no sofá, beba um gole de água com açúcar (se tiver, claro) e respire fundo.

Você faz sua terceira escolha e vai para a FASE 4.

▸ Se você acha que aquela moça-menina é muito linda, talentosa, e tudo o que você quer é sentar ao lado dela e ficar ouvindo aquela música embriagadora pelo resto dos seus dias, então vá para a página 76 e BOA SORTE.

▸ Se você acha que aquela moça-menina só pode ser um fantasma, porque aquilo ali não é uma igreja, e sim um mausoléu com um monte de gente enterrada, está na hora de botar sebo nas canelas e fugir dali a toda. O mais rápido que puder, voe para a página 56. BOA CORRIDA!

*Você achou mais prudente sair corren-
do, e acho que fez muito bem. Só espero que
tenha boa forma física e pernas ágeis.*

Você corre sem se importar para onde vai. Pra piorar a situação,
a chuva desaba, forte, e você escorrega aqui e ali, caindo na lama,
sujando a roupa molhada, pisando em pedras, sepulturas, cruzes.
Com o canto do olho, vê que a moça-menina corre atrás de você, e
está cada vez mais perto. Então, um cheiro forte, nauseante, pútrido invade seu nariz. Você sente o cheiro e pensa que, se continuar
assim, vai vomitar. Já pensou, você correndo e vomitando ao mesmo tempo? Numa pedra mais alta, pontiaguda, você tropeça e cai
de cara na lama. É o fim, você pensa. Rapidamente, você vira de
barriga pra cima para esperar, com dignidade, o seu fim. E, ainda
nauseado, vê aquele rosto lindo, de cabelos louros, se debruçar sobre o seu. Dele caem minúsculos bichinhos e pequenos pedaços de
carne podre. A moça-menina está em putrefação.

Neste momento, a gente precisa de uma outra...

*Se quiser, vá até a cozinha e assalte a geladeira. Ou ao banheiro, lavar
o rosto.*

E o coração, como é que está? Firme? Olha lá, hein...

Você faz, então, a sua quarta opção e vai para a FASE 5.

▸ Se acha que chegou ao fim, que aquela coisa podre vai se lançar sobre você, se esfregar no seu corpo e, depois, matar você, então vá para a página 58. FOI UM GRANDE PRAZER CONHECER VOCÊ.

▸ Se acha que, na verdade, nada disto está acontecendo, que você está sonhando, tendo um horrível pesadelo, volte para a página 22.

▸ Se você ainda espera que alguma coisa aconteça – desde que não seja a sua morte, claro – e acredita que a esperança é a última que morre, então vá para a página 60. PARABÉNS PELO SEU OTIMISMO!

Você achou que aquele era o fim, certo?

Tão jovem, e já se despedindo da vida... Puxa, vai perder tantas coisas legais. Que pena!

Apesar do pânico, você se deixou ficar ali, inerte, à mercê daquilo. Pouco importava, àquela altura dos acontecimentos, o cheiro de podre, as larvas, os pedaços de carne enegrecida que despencavam sobre você. A única coisa que você queria era uma morte suave, rápida, sem sofrimentos ou visões aterradoras. Morrer em paz era tudo o que você pedia aos seus protetores celestiais. E, ao que parece, suas preces foram atendidas...

Você escuta um murmúrio calmo, suave, e, apesar do medo, abre só um pouco os olhos. Uma luz forte faz com que você feche-os novamente. Você começa a se debater, mas, nesse momento, sente que muitas mãos fortes imobilizam você, como se fossem garras. Tudo o que consegue é mover a cabeça, a princípio devagar, depois desesperadamente. Falar você tenta, mas não consegue. Uma voz grossa, de homem, bem próxima de você, ecoa dentro do seu ouvido: "Estado de choque; contrações espasmódicas dos músculos; paciente estressado; contusões generalizadas pelos membros; falta de reflexos".

Aquela não parece ser a voz da moça-menina, mas talvez ela esteja disfarçando, pra forçar você a abrir mais os olhos. Será?

Cautelosamente, você abre uma pequenina nesga da pálpebra direita; em seguida, da esquerda. Como nada acontece, você se encoraja e abre um pouco mais os olhos e começa a enxergar a sua volta: um homem desconhecido, vestido num avental verde, mas que não parece ameaçador; uma moça com um uniforme branco e uma touquinha na cabeça; um outro homem, esse meio louro, com um jaleco branco; e, incrivelmente, tia Eva, o rosto preocupado, um lencinho amarfanhado na mão, enxugando de vez em quando os olhos.

Quando eles percebem que você está de olhos abertos, há uma explosão de alegria. Eles riem e comemoram. Você, então, tem certeza de que pertence, ainda, ao mundo dos vivos.

Alguns dias depois, você fica sabendo que foi encontrado, pelo coveiro, caído na lama, dentro do cemitério. E que ele só o encontrou porque ouviu os gritos de socorro. Ele o levou para o hospital, e de lá chamaram sua tia Eva.

Diagnóstico: nada de grave, apenas um grande susto, motivado pelo fato de ter se perdido. E uma ligeira gripe, por conta da chuva. Cinco dias de molho.

No fim da tarde seus pais chegam, trazendo um monte de presentes, presentinhos e presentões. Tinham feito compras ali mesmo, na cidade. Estavam ainda apreensivos mas, felizmente, como diziam, tudo não passou de um pequeno susto.

Pequeno?

As cenas ameaçam voltar ao seu pensamento, mas você, com determinação, impede. Nada disso.

Só não pode evitar depois que anoitece, e que médicos e enfermeiras vão descansar. Aí, você olha em pânico para a vidraça da janela, olhos arregalados, durante um longo tempo, completamente sem sono e morrendo de medo de ver aquela coisa ali, juntinho de você novamente.

Ufa, felizmente tudo acabou.
Mas tem uma coisinha que eu queria
lhe dizer, lá na página 36. Ok?

Seu otimismo levou você a achar que alguma coisa ainda poderia acontecer, não foi? E, realmente, aconteceu.

Quando aquela coisa sem vida, fantasmagórica, se debruça sobre você, um grito áspero rasga a noite. "NÃÃÃÃÃÃO!"

Seu sangue congela nas veias, seu coração para dentro do peito.

A moça-menina também para e, com um esgar que retorce aquela boca sem lábios, dentes à mostra, vira a cabeça em direção ao som ribombante. Os buracos dos olhos lançam faíscas, como se ela estivesse com muita raiva. Ela estende os braços à frente, como para se proteger, mas você não entende do quê.

Então, ouve as passadas fortes, ritmadas, e sente que alguma coisa grande se aproxima. E ele surge. Ali, bem diante de você, um homem muito alto, imenso, já bastante velho, um pouco curvado pela idade, o cabelo branco caído sobre os ombros. Segura uma enxada com o cabo comprido e retorcido. Você olha para ele sem saber quem é, o que vai fazer. Então, ele manda, apontando o dedo indicador, que a moça-menina volte. E ela volta. Obediente, volta sobre seus passos, flutuando pouco acima do chão.

O homem vai atrás.

Você fica ali, no meio da lama, incapaz de ter qualquer reação, de fazer qualquer movimento. O tempo passa e você continua lá, querendo fugir, mas com medo de tentar e cair numa armadilha.

A noite avança, e nada. Até que, em dado momento, você escuta as passadas novamente. Você se encolhe de medo e de frio, e chafurda mais na lama gelada.

O velho chega até você e, com o mesmo dedo indicador,

faz sinal para que se levante e caminhe ao lado dele. Ainda traz a enxada na mão. Você, claro, obedece e sai andando, pingando lama, junto com o homem.

Depois de um bom tempo, chegam a um casebre construído junto ao muro do cemitério. A porta está aberta e, num fogareiro, você vê uma panela soltando fumaça. O velho faz você entrar e sentar num banco de madeira. Traz uma toalha pra você limpar um pouco a sujeira e serve um prato de sopa fervente. Enquanto você toma, ele, pigarreando, começa a contar uma história.

Aquela moça-menina que você viu está morta há cinquenta anos. Quando viva, foi namorada dele, e iam se casar. Nessa época, ele era um jovem bonito e forte, que trabalhava duro na lavoura para conseguir construir uma casinha para os dois poderem morar. Então, uma queda de cavalo levou para sempre sua amada. Muito triste, incapaz de se recuperar da tragédia, ele, a princípio, quis morrer. Depois, começou a beber, até que, um dia, foi até o cemitério visitar o mausoléu da amada. E ela apareceu. Então, ele entendeu que precisava ficar lá, com a sua querida, até o fim de seus dias. E conseguiu o emprego de coveiro, o que é até hoje.

Acontece que, todas as noites de sexta-feira de lua cheia, sua amada reaparece, tocando sua harpa, e, se houver algum desavisado por perto, ela tenta matá-lo, principalmente se for jovem. Já liquidou muita gente, mas, nos últimos tempos, ele vem conseguindo impedir, como fez hoje.

Depois que se secou e tomou a sopa, você argumenta que precisa ir embora. Afinal, tia Eva, àquela altura, deve estar preocupadíssima. Mas o velho não deixa, porque está caindo uma chuva forte e, se você conseguir encontrar o caminho de volta, vai, na melhor das hipóteses, pegar uma pneumonia. O velho arruma uma cama pra você no chão, junto ao fogareiro, e você, finalmente, dorme.

No dia seguinte, bem cedo, o velho acorda você e diz que está na hora de ir.

Leva você até o portão da casa de sua tia, mas não entra. Você ainda fica olhando ele se afastar, aquele andar pesado, o corpo grande curvado, até desaparecer na curva do caminho.

Então, você respira fundo e entra. E antes mesmo de fechar a porta, dá de cara com o rosto apreensivo e insone de tia Eva.

Muito bem, pode começar. Hora das explicações.

Finalmente, terminou. Mas, antes de fechar o livro, dê um pulinho lá na página 36, que eu tenho um recado pra você.

Você acha que o monstro venceu o metro que faltava e, como esperado, pula sobre você.

A sensação é de que o mundo desabou sobre você: a pressão sobre seu corpo, emborcado na lama gelada, é imensa, e você mal consegue encher os pulmões de ar para respirar. E quando consegue respirar uma respiradazinha de nada, o cheiro fétido entra pelas suas narinas, entranhando no seu corpo, nas suas roupas. Você está completamente sem condição de se movimentar um centímetro que seja, e aquela coisa monstruosa se debate sobre você, se contorce, se ajeita, procurando a melhor posição para iniciar a matança, isto é, a sua matança. Porque, ao que parece, não tem jeito, isto é um fato: sua hora chegou!

A primeira dentada passa a milímetros da sua orelha esquerda; a segunda, raspando no pescoço, junto à jugular; as garras das patas percorrem seu corpo, rasgando sua roupa, arranhando seus braços e suas pernas.

Enquanto isso acontece, o lobisomem respira estertorosamente e exala um hálito pútrido junto ao seu rosto. Ele começa a fazer uns barulhos estranhos, entrecortados, como se estivesse sem fôlego. As patas esquecem a sua roupa e corpo e ficam se sacudindo, como se ele estivesse prestes a cair e tentasse se reequilibrar.

De repente, o monstro fica imóvel. Absolutamente imóvel. Você também, claro, porque está embaixo daquele peso-pesado e não tem a menor chance de se mover. Seu corpo está molhado de suor, suas costelas, doloridas, seu pé, inchado e latejando, e – o pior – seu cérebro, funcionando a todo vapor, dizendo a cada segundo que chegou a hora, que não tem saída.

Os segundos passam, minutos passam e nada. O bicho não se move. Deve estar esperando você esboçar alguma reação para, então, contra-atacar. Mas você não vai entrar nessa, vai? O melhor é ficar imóvel pra não piorar a situação. Mais segundos e minutos passam, e nada. Ele continua lá, pesadão, sobre você. Só que, enquanto isso, está ficando cada vez mais difícil respirar. Você já está quase sufocando. Então, não tem saída: alguma coisa você precisa fazer. Com cuidado, você tenta, timidamente, mover os braços pra baixo do corpo, para conseguir um pequeno espaço que seja para respirar. Faz força, se concentra e, finalmente, ergue um pouquinho o peito. E respira sofregamente. Puxa, na hora H. Aproveitando a imobilidade dele, você tenta tirar seus braços de sob aquele corpo grande e monstruoso. Força um pouco e também consegue. O lobisomem continua imóvel, apesar dos seus pequenos movimentos.

A esta altura, você já está mais confiante e ousa mexer o corpo, ajudando com os braços, tentando sair debaixo dele. Agarra firmemente algumas raízes de arbustos, contrai o corpo e, num arranco, impulsiona-o para a frente. E, incrivelmente, você consegue: saiu alguns centímetros de sob a montanha de carne fétida. Tenta novamente e, mais uma vez, é um sucesso. Durante todo este tempo, o lobisomem está completamente imóvel, a não ser pelos solavancos que o corpo dele dá cada vez que você se mexe.

Depois de muitas tentativas, você está livre, respirando profundamente o ar noturno daquela cidadezinha do interior. Você não tem coragem de olhar para ele, ali deitado na lama, bem junto de você. Mas sabe que não pode ficar indefinidamente ali, deitado, esperando o ataque. Então, reunindo o resto de coragem que sobrou no tanque de reserva, você vira lentamente o rosto na direção da coisa. Os olhos estão arregalados, vidrados; a boca, escancarada, mostrando todos os dentes pontiagudos e grandes; a língua vermelha mais parece uma gravata de bêbado, retorcida e jogada de lado no canto da boca. E ele continua, inacreditavelmente, inerte.

Você agora já de pé ao lado dele. Olha com atenção e vê que as patas estão à altura do pescoço, como se o bicho estivesse querendo estrangular a si próprio. As pernas estão contraídas junto à barriga peluda, e as garras dos pés, curvadas para baixo. Você fica olhando, mas não consegue entender o que está acontecendo. Por que o bicho, repentinamente, parou de atacar e ficou imóvel daquele jeito? Ele parecia tão disposto a degustar você! Parece, até, que teve um infarte fulminante.

Neste momento, você começa a rir baixinho. Não é possível, não pode ser verdade. Com a maior cautela, estica a mão até aquele pescoço peludo e tenta sentir o sangue pulsando. Nada. Com igual cuidado, leva a mão até o peito estofado e procura pelas batidas do coração. Nada, só o silêncio. E, então, a certeza: ele enfartou. Só pode ser. Que outra explicação haveria para aquela imobilidade? Você sai andando devagar, olhando para trás, temendo que a qualquer momento a criatura se recupere, levante e venha atrás de você. Já está a uma distância considerável, e ele, nada: paradinho da silva, no mesmo lugar.

Você anda um pouco mais até quase perdê-lo de vista, e não percebe nenhum movimento suspeito. Então, começa a correr. A dor no pé só é suportável porque o desejo de continuar vivendo é imenso. Você arrasta a perna, se arranha em galhos, machuca o pé nas pedras e tocos, mas nada disso impede que continue correndo. Até que, diante de você, surge um par de faróis.

Você continua correndo naquela direção e, quanto mais se aproxima, mais seu coração bate forte de alegria e de ansiedade. Será que tem alguém dentro daquele carro? E, se tiver, será que vai ajudar você? E se o carro estiver abandonado, ou enguiçado?

Você chega perto e, através da janela, vê um vulto. O vidro está embaçado e você passa a palma da mão para poder enxergar. E leva um susto. Só você, não: o casal que está lá dentro, namorando, também. A moça se arruma como pode, e o rapaz, agilmente, abre a porta e sai. Aí, você explica tudo o que aconteceu. E ele resolve levar você em casa, apesar dos muxoxos da garota.

Vinte minutos depois, o fusquinha do seu salvador encosta junto ao portão da casa de tia Eva, que está com todas as luzes acesas. Você agradece o quanto pode e se despede.

E se prepara pra contar tudinho, tintim por tintim, pra sua tia, torcendo para que ela acredite. Mas ainda que isso não aconteça, uma certeza você tem: está a salvo, finalmente.

Muito bem, a história acabou. Me recuso a escrever um final. Tente você mesmo criar um, bem ao seu gosto. Um bem suavezinho, com o qual você não tenha nenhuma outra emoção forte.

Francamente, eu achei que nós dois íamos seguir juntos até o fim. Mas, não, você desistiu. Por quê? Medo? Cansou de ler? Não gostou do livro?

Vai contar pros seus amigos que a história é uma chatice? Vai? E se, de repente, eles decidirem ler e gostarem? Como é que você fica, fazendo uma propaganda enganosa?

Mas, pensando bem, já que você gastou um dinheirão comprando este livro chato, e já que eu ganhei um dinheirinho com ele, vou terminar, por uma questão de honra, certo?

Aí vai o final.

No auge do desespero, quando você pensa que nada mais pode acontecer para reverter a sua situação, surge uma claridade no céu. Não é um raio, nem um disco voador, nem um vaga-lume. Será um avião?

Não. É uma fada. Uma Fada Madrinha. A SUA FADA MADRINHA, que, durante toda esta aventura, ficou por perto, prontinha para agir se fosse necessário. E, finalmente, agora ela vai poder mostrar serviço.

Ela chega no rastro da luz, olhos brilhantes, sorriso luminoso, vestido ofuscante. Tudo nela é claridade. Ela sorri, estende a mão sobre sua cabeça e faz o tempo parar, congelando a imagem. Nada se movimenta mais, só ela e você, que, de boca aberta, não consegue reagir.

A fada pede que você feche os olhos e se concentre naquilo que quer que aconteça. Você obedece. E, subitamente, uma grande quantidade de pequeninas estrelas, que você só viu porque manteve por precaução uma nesguinha do olho aberta, envolve você. Estrelinhas elétricas, faiscantes, agitadas.

E, num passe de mágica, você está à mesa, talher na mão, guardanapo no pescoço, sorrindo pra tia Eva, que serve um delicioso, apetitoso e suculento macarrão a quatro queijos. O relógio cuco, na parede, mostra: 7:02 da noite.

Puxa, quase uma pontualidade britânica!

E pensar que tem gente que não acredita em FADA MADRINHA...

Com muito esforço, você consegue erguer a ponte até quase a altura da sua cintura. Quando começa a levantá-la, os animais se desequilibram e, uivando, caem no rio, caudas abanando, patas tentando agarrar o ar. Apesar do medo, a situação é engraçada, e – talvez porque há muito tempo você não dê uma risada, talvez por conta do seu estado emocional bastante tenso – o fato é que você acha aquela cena a coisa mais hilariante que viu nos últimos anos.

Sem controle, você ri, gargalha, até sentir os soluços sacudirem seu corpo. Lá embaixo, na água, os lobos nadam furiosamente, tentando escapar da correnteza, mas quase não saem do lugar. Você tem, então, uma grande vantagem sobre eles. Está na hora de correr.

E você dispara na noite, pés atolando em lama, joelhos se arranhando em galhos, corpo suando em bicas.

Por quanto tempo você corre, impossível dizer. Até que, finalmente, você vê uma pedra grande, bem ali adiante, uma pedra salvadora. Ou não? Você continua correndo e chega cada vez mais perto. Não é uma pedra qualquer, é uma pedra fendida, e a fenda forma uma caverna bem funda. Você para junto à entrada e tenta enxergar através da escuridão. Mas não vê nada. Apura os ouvidos, mas nada escuta. Então, tomando uma atitude corajosa, você entra. Pena que não tem no bolso uma caixa de fósforos, não é? Ia ajudar bastante. Mas se tiver aquela lanterna do *Coisas muito úteis*, pode usar, desde que esteja com pilhas, claro.

O piso da caverna é recoberto por uma areia fina, e o calor ali dentro é convidativo e reconfortante. Você vai andando em direção ao que imagina ser o fundo, tateando a parede lateral direita, com muito cuidado. Até que chega ao final, que lhe parece, ao toque, um nicho arredondado, provavelmente uma curva da fenda daquela pedra. Você, no auge do cansaço, nem pensa duas vezes: deixa o corpo escorregar e se recosta naquela parede dura – mas extremamente confortável, naquela circunstância. E, imediatamente, adormece. De repente, um barulho desconhecido faz você despertar e dar um pulo, totalmente alerta. Você olha em volta e, mesmo naquela escuridão, consegue perceber formas – dezenas, centenas, milhares de formas escuras dependuradas no teto da caverna, cabeças para baixo, batendo asas, emitindo guinchos ensurdecedores.

Você estremece: são morcegos. Milhares de morcegos em movimento, milhares de morcegos ávidos por alimento. E você, provavelmente, vai servir de ceia para eles. Porque, certamente, são morcegos vampiros.

Você agita as mãos para espantá-los, mas só consegue fazer com que se agitem mais. Eles voam desordenadamente, batendo de encontro ao seu corpo, ao seu rosto, pousando no seu cabelo, nos seus braços, nas suas pernas. É uma situação caótica, você não sabe o que fazer. Você procura a saída da caverna, delineada pela claridade da lua, mas não consegue. Só então sente o cheiro forte, ácido, enjoativo das fezes dos morcegos, e se lembra da areia do piso: com quase cem por cento de probabilidade, aquilo era cocô de morcego. Você está em pânico e avança com determinação, tentando sair. Depois de algum tempo, você consegue, finalmente, respirar o ar fresco da noite. Os morcegos ficam lá dentro, alvoroçados, agitados, e você corre para longe dali.

Bem, ao menos você descansou um pouco os ossos. Agora, é seguir caminho. Pra onde, você não sabe, nem faz ideia. Mas continua andando.

Ao longe, você escuta um uivo longo e sofrido, e sente o corpo arrepiar. Acelera o passo, até que, em dado momento, não resiste mais. Você está à beira da exaustão: fraqueza, cansaço, tensão, tudo isso junto leva você a esse estado. Sem ânimo, você se senta ali mesmo, no mato, e, apoiando a cabeça nos joelhos, adormece.

De repente, o som de vozes, muitas, penetra nos seus ouvidos e você desperta. Por hábito e por instinto, dá um pulo e, ao mesmo tempo, estende as mãos para a frente, tentando se proteger. Mas não precisava. Porque aquelas vozes não estão ali para atacar, e sim para salvar você.

Um grupo de homens, lanternas nas mãos, vem vindo, gritando seu nome na noite escura. Ainda sonolento, você se levanta, grita e acena para eles. Em minutos, estão ao seu lado, e um deles faz um exame rápido e pergunta se está tudo bem. Você só balança a cabeça. Então, uma padiola aparece em cena, dessas usadas para transportar feridos. O homem do exame coloca você sobre ela, e outros dois levam você até uma caminhonete branca que está parada adiante, faróis acesos, luzes azuis e vermelhas piscando alternadamente. Antes de você ser colocado dentro dela, deu pra ver, na porta traseira, o desenho de uma cruz vermelha e os dizeres PREFEITURA MUNICIPAL – AMBULÂNCIA. A porta se fecha e a sirene é acionada: "uau-uau-uau-uau-uau". E o veículo sai dali em alta velocidade.

Você está a caminho do hospital, sabia? Só não entende por que, pois não está doente. Mas pouco importa pra onde está indo. Importante é que está SAINDO daquele bosque. Você tenta falar alguma coisa com o homem que está medindo a sua temperatura, mas não consegue. O sono é incontrolável, e você, mesmo não querendo, fecha os olhos para descansar só um pouquinho.

Quando abre novamente os olhos, a primeira coisa que vê é uma seringa flutuando acima do seu braço esquerdo, pronta para atacar. Você puxa o braço, mas ele nem se mexe. Dá outro puxão, esse mais forte, e nada. Alguém amarrou você, imobilizou-o.

Você já está começando a entrar em pânico, quando em seu cérebro começa a piscar o letreiro CALMA! CALMA! CALMA! E você se acalma, porque percebe que está no hospital, cercado de médicos e enfermeiras.

Ali, naquela cama, você fica dois dias, sob os cuidados de uma enfermeira bonita, chamada Suzy, curtindo a hospedagem cinco estrelas, com direito a tevê, vídeo e, até, frigobar com refrigerantes. Além, claro, das atenções de papai, mamãe e tia Eva, que, coitadinha, continua preocupada e se sentindo culpada de tudo.

Mas, no fim, até que você gostou de estar ali. Porque ganhou, com cinco meses de antecedência, o computador que seu pai havia dito só poder dar no Natal.

Só o que não agradou muito a você, e continua não agradando, é que, constantemente, você escuta um uivo, não sabe vindo de onde, mas bem próximo, cada vez mais próximo, mais e mais.

Com certeza, em um metro existem cem centímetros. E é espaço pra caramba. Você, mesmo naquela situação aterrorizante, desesperadora, ainda consegue, com muita concentração, elevar seu pensamento aos céus e pedir que alguma coisa, qualquer uma que seja, aconteça para impedir que vire jantar de lobisomem.

E então, como que atendendo ao seu apelo, uma linha de fogo corta o céu, começando lá no alto e vindo em sua direção. Coincidentemente, quando você ergueu os olhos perdeu um pouco o equilíbrio e, por conta disso, falseou o pé, caiu exatamente num desnível do terreno e despencou por uma encosta, indo parar lá embaixo. Ou seja, você sumiu de cena. Enquanto você deslizava, o raio cortava a noite. O lobisomem, já mais que preparado para pular sobre você, quando percebeu a sua súbita ausência ficou sem ação: correu para tentar alcançá-lo e, inadvertidamente, pisou numa grande poça que a chuva formou. E foi nesse exato momento que a faísca o atingiu.

Mesmo estando cerca de metro e meio abaixo dele, você pôde ver nitidamente o que estava acontecendo: primeiro, quando o raio o atingiu, ele ficou se sacudindo freneticamente, e em seguida um cheiro de coisa queimando empesteou o ar. Do corpanzil do monstro começou a sair uma fumaça escura, e em segundos ele já não tinha mais pelos no corpo. O bicho caiu, ainda estremecendo, e ficou imóvel.

Um tempo depois, você tornou a subir o metro e meio e verificou que, ao redor dele, tudo estava chamuscado, queimado, nem capim tinha mais. A coisa já não se mexia. Os olhos estavam arregalados, olhando para o céu, e tinham uma expressão interrogativa, como se ele estivesse perguntando o que é que havia acontecido. Olhando com mais atenção, você viu que faltavam pedaços de carne nos braços, no peito e nas pernas dele. Tinham sido carbonizados. O lobisomem tinha virado churrasquinho.

Foi inevitável você começar a rir. Porque era bom demais continuar a viver. Porque era ótimo saber que, agora, estava a salvo.

Você olhou uma última vez para o corpo torrado e continuou andando. Você ainda não sabia como chegar à casa da tia Eva, mas pelo menos tinha a chance de encontrar...

Assim, você continua a sua caminhada noite adentro. Claro que outros perigos podem surgir – mas, com o seu otimismo, tudo fica mais fácil. Com certeza.

Realmente, a moça-menina é linda, você tem razão. Os cabelos são louros e longos, a pele do rosto e das mãos é clara e os olhos têm um tom de azul vivo e brilhante. Além disso, a melodia que nasce daquelas cordas é tão suave, tão inebriante, tão repousante, que fica impossível resistir. E você, como se estivesse num transe hipnótico, se aproxima. Ela percebe o seu interesse e, voltando a tocar, chega um pouco para o lado, oferecendo assento. Você se acomoda junto dela, no banco. Olha a sua volta, curioso: à luz mortiça das velas o vitral da porta produz sombras coloridas nas paredes e a capela tem um aspecto aconchegante. Você olha atentamente para as imagens dos vidros que mostram anjos estendendo a mão para crianças, santos abençoando adultos. Os castiçais presos nos cantos parecem ser de metal antigo, e as velas são grossas, bordadas e rebordadas pelas gotas de cera quente que a chama derrete.

Seus olhos passeiam e param naquelas pequenas gavetas na parede, à direita. Em cada uma delas, uma inscrição, que, de onde está, você não consegue ler, e uma cruz acima de uma fotografia.

Inexplicavelmente, uma das gavetas, a mais próxima, atrai a sua atenção. Você se levanta devagar, para não atrapalhar a execução da música, e vai até lá. Abaixa-se um pouco e, firmando a vista, lê: "Maria Guilhermina Nascimento Castro – ☆ 1.2.1910 † 29.7.1923 – Saudades Eternas". Você faz o cálculo e percebe que a criança morreu com treze anos de idade. E, curiosamente, hoje é aniversário da morte dela, porque hoje é 29 de julho. Você aproxima mais o rosto para olhar a foto, para ver como era o rosto daquela pobre menina. A fotografia mostra uma criança, quase mocinha, de chapéu de abas, sorrindo ingenuamente para a câmera, tendo sobre o colo alguma coisa que firma com as mãos. Parece... pode ser... um instrumento musical, talvez? Poderia ser... uma harpa!

Seu sangue gela. Congela em suas veias. Você se aproxima mais e constata que, sem sombra de dúvida, É UMA HARPA o que ela tem nas mãos. Tremendo, você olha atentamente, mais uma vez, o rosto na foto e não tem dúvida: É ELA.

A menina-moça que a fotografia exibe é a mesma moça-menina que está ali, sentada no banco, logo atrás de você, tocando harpa. O mesmo olhar, o mesmo cabelo claro, a mesma expressão do rosto, o mesmo sorriso breve.

O medo toma conta de você. Não é possível que ali, dentro daquela capela, uma pessoa que tenha morrido há mais de setenta anos esteja tocando harpa, e você ouvindo-a tocar.

Você acha que seu cérebro pifou, que os circuitos elétricos dele deram um curto, que alguma coisa muito estranha está ocorrendo. E eu concordo plenamente com você, sobretudo porque sei, e você não, que o pior ainda não aconteceu.

Num acesso de coragem, você se levanta e olha para a moça-menina. Aí, você perde completamente a razão, porque o que vê leva qualquer um à loucura, à insanidade. A moça-menina vai, gradativamente, se transformando, envelhecendo anos e anos em segundos. O rosto fica enrugado, encovado; o cabelo, sem brilho, esbranquiçado; a boca murcha, caída; o olhar, fosco. E as mãos? Repentinamente, estão retorcidas, com veias grossas salientes e sem qualquer agilidade nas cordas.

No instante seguinte, o espetáculo piora. Agora, o rosto mostra buracos negros onde eram os olhos, o nariz e a boca; o cabelo parece que cresceu e cai em tufos no chão; as mãos são apenas ossos. Você arregala mais os olhos quando percebe que a criatura está se levantando vagarosamente, mantendo os buracos-olhos fixos em você. Pousando a harpa no banco, as mãos-ossos se estendem e aquele corpo-esqueleto caminha em sua direção.

Absolutamente em pânico, você começa a recuar, olhos arregalados, boca seca, respiração suspensa. Recua devagar pra não despertar a ira daquela coisa monstruosa, até que, poucos passos depois, esbarra na porta da capela, que está fechada. Pronto: você e ela estão ali, dentro daquela capela que, agora, você sabe ser um mausoléu. Sem conseguir se controlar, você abre a boca e ordena ao seu cérebro que grite, grite alto, muito alto, o grito mais desesperado, mais possante, mais gritado que você jamais deu em sua vida. Enquanto o som do grito não chega, você procura a maçaneta da porta, que, graças aos céus, se movimenta. Você nem pestaneja: abre a porta com um arranco e sai correndo, sem saber pra onde.

Do lado de fora, a neblina impede a visão; mesmo assim, você continua correndo, pisando em sepulturas, em pedras e galhos de árvores. Não importa, você tem é que fugir dali sem perda de tempo.

No meio do seu desespero, você escuta o som de alguma coisa que também corre, bem atrás de você. Olhar, nem pensar. Só pode ser ela, a velha-esqueleto. Você acelera e, praticamente sem enxergar, continua em frente. E longe, muito longe, escuta a primeira badalada. Alguém está tocando um sino àquela hora da noite. Tomara que acorde toda a cidade, que alguém venha em seu socorro.

Você conta, automaticamente, apenas para ocupar por momentos sua mente em ruínas. Uma, duas, três.

Os passos atrás de você continuam.

Quatro, cinco, seis.

Os passos estão cada vez mais próximos.

Sete, oito, nove.

Agora, já demasiadamente próximos.

Dez, onze, doze.

Aqui, a gente precisa fazer outra...

Quanto a você, não sei, mas quanto a mim, ela é mais do que necessária: vou beber uma água, lavar o rosto, comer uma fruta, sei lá, vou fazer qualquer coisa até acalmar meu coração acelerado.

Pronto? Podemos continuar, então.

Você faz a sua quarta escolha e vai para a FASE 5.

▸ Se você acha que aquele sino tocou doze badaladas para anunciar que a sua situação certamente vai ficar ainda pior, porque À MEIA-NOITE TUDO FICA PIOR, vá para a página 82 e, se a gente não se vir mais, adeus. E foi um grande prazer.

▸ Se você, ao contrário, acha que depois da décima segunda badalada alguma coisa mágica, surpreendente, vai acontecer pra tirar você daquele desespero, vá para a página 84. Eu espero que essa mágica realmente aconteça. BOA SORTE.

Por conta da neblina, ou do desespero, ou do acaso, você dá um passo à frente e, de repente, o chão desaparece sob seus pés. Você percebe que está caindo num buraco, um buraco fundo, bem fundo. Abre os braços, tentando agarrar alguma coisa a sua volta, mas não consegue e, então, aterrissa em cima de alguma coisa dura que, num primeiro momento, parece uma tábua. Você nem se preocupa em olhar onde caiu, porque sua atenção está voltada para o alto, para o buraco por onde você caiu. Porque, se aquele esqueleto pular em cima de você, é o fim. Dali você não tem como escapar.

De repente, você vê o esqueleto parado, procurando você com os buracos-olhos, tentando enxergar no escuro. Você fecha os olhos, as pálpebras bem apertadas pra ter certeza de que não vão se abrir e revelar o momento final.

Vagarosamente, você se arrasta, procurando reconhecer o terreno para, ao menos, saber onde está. Desliza as mãos sobre a tábua, que é cheia de altos e baixos, e percebe que ela é comprida e estreita. E não é bem uma tábua, parece mais uma caixa, porque na beirada ela continua na vertical, formando os lados.

É como se fosse uma caixa grande, um caixão, você pensa. E a última coisa que você consegue registrar na sua mente já completamente desesperada é que está sobre um CAIXÃO DE DEFUNTO. E, o que é pior, dentro de uma SEPULTURA.

Só falta, agora, aquela coisa ali em cima, que você nem vai olhar, pular e terminar o serviço. Então, o seu enterro estará consumado. Não falta nada, nadinha da silva. Ou será que falta?

Claro que você se esqueceu de um pequeno detalhe. Depois que o corpo desce para dentro da cova, os coveiros jogam terra sobre ele, lembra? Assim sendo, pra terminar tudo, falta a terra.

Então, você pensa, não falta mais. Você realmente morreu. Tudo está consumado. Porque lá de cima já está caindo uma terrinha sobre a sua cabeça, sobre o seu corpo. Daqui a pouquinho você vai ser companheiro das minhocas.

As vozes que você escuta, claro, só podem ser do outro mundo. Espere aí! Vozes?! Apesar de ter morrido, você presta atenção ao que elas dizem. Você não tem nada de interessante pra fazer mesmo, não é? Pode muito bem escutar a conversa dos outros.

Ouve o grito, chamando você: "Ei, você aí, acorda!"

"Idiotas", você pensa, como "acorda!", se você morreu?

Mas as vozes insistem, gritando, fazendo o maior barulho. Então você levanta a cabeça e, finalmente, resolve abrir os olhos. Pra que defunto quer abrir os olhos você não sabe, mas, mesmo assim, abre. E vê.

Acima de você, o céu é azul, o dia, claro. Quatro rostos olham para você, lá de cima, apreensivos e mal-humorados. Você tenta falar mas sabe que é impossível. Tenta e, incrivelmente, consegue. E diz um "oi" bem baixinho.

O maior deles, visivelmente zangado, manda você sair dali imediatamente, já, porque sepultura não é lugar de mau elemento dormir. Ele pensa que você é "mau elemento". Será que não percebe que você morreu?

Só que ele tem razão. Você dormiu. Passou a noite ali dentro depois que caiu, lembra agora? Não morreu coisíssima nenhuma. Portanto, sai logo daí e corre pra casa da tia Eva, que – sem querer ser cri-cri – devo dizer que está uma fera, já botou até a polícia em seu encalço!

Agora que tudo terminou, por favor, vá até a página 36, que eu tenho uma coisa pra lhe dizer.

Seu otimismo é incrível. Realmente, depois das doze badaladas alguma coisa acontece...

Você continua correndo, indiferente à neblina, às pedras no chão, aos galhos de árvores. Tem momentos que você pisa numas coisas duras, roliças, quebradiças, e não precisa ser genial para saber que são ossos. OSSOS DE DEFUNTOS.

Mas isso é, agora, o de menos. Importante é continuar correndo, fugindo daquilo. Você até pensa em tentar achar um esconderijo, mas não tem tempo para isso. No sufoco em que está, não dá nem pra dar uma paradinha para respirar e recuperar o fôlego, quanto mais pra procurar alguma coisa!

Você continua correndo, as pernas já ficando bambas, o coração já rateando, batendo fora de compasso. Você já deve ter batido um recorde de velocidade, mas, infelizmente, não tem ninguém ali pra testemunhar, pra aplaudir.

Logo adiante, você vê uma luz se acender. E avista uma pequena casa com a vidraça iluminada. Não é possível que tenha dado uma volta e esteja, novamente, se aproximando do mausoléu daquela coisa. Ou é?

Mas na velocidade em que você vem é impossível acionar os freios a tempo. Assim, quando finalmente consegue parar, está bem diante da porta – que, para seu desespero, abre de sopetão.

Um homem ainda jovem olha para você, entre assustado e zangado, e pergunta num tom acusatório o que é que você está fazendo ali, correndo dentro de um cemitério, àquela hora da noite. Você não consegue falar de imediato, primeiro porque está sem fôlego, segundo porque está em pânico. Mas consegue apontar para trás, mostrando aquela coisa que está ali, junto, colada às suas costas.

O homem olha naquela direção e torna a olhar para você, interrogativamente. Você não entende como é que ele consegue se manter impassível diante daquela visão aterradora e, tomando coragem, olha também.

Nada. Ninguém atrás de você. Nem mesmo uma sombra pra justificar o seu medo. Você faz uma cara sem graça, sem saber o que dizer.

Mas o homem percebe o estado em que você se encontra, física e emocionalmente. Abre a guarda e manda você entrar. Ele é o administrador do Cemitério Municipal da Colina, e aquela é a casa dele. Mal você começa a contar a história, ele interrompe e aponta o telefone, dizendo que a primeira providência é você avisar a sua tia, que, àquela altura, já deve estar desesperada de preocupação.

E estava mesmo. Depois de jurar que você está bem e que daqui a algumas horas vai estar com ela, você consegue desligar. E termina de contar a sua triste história.

Enquanto você fala, meio desordenadamente, o homem esquenta um prato de sopa, manda você se lavar, oferece roupas limpas e, enquanto você abranda os roncos do seu estômago sofredor, coloca um colchonete no chão e improvisa uma cama que, naquele momento, parece ser a coisa mais confortável em que você já se deitou na vida.

Quando, às 10 horas daquele mesmo dia, seus pais encostam o carro defronte à casa de sua tia, você está de malas prontas, cabelo penteado, dentes escovados, roupas impecáveis.

Que pena que você tem que deixar esta cidadezinha do interior, tão pacata, tão segura, não acha?

Mas, no ano que vem, você volta. Ou não?

Agora que finalmente terminou, vá até a página 36, que eu tenho uma coisa pra dizer a você.

Você não se amarra em coisas do Além, não é? Prefere continuar andando a esmo, sem saber pra onde vai, sem ter a menor ideia de onde está. Então, continue andando, e BOA SORTE.

Apesar de manter os olhos ainda fixos na janela iluminada, você desvia para a esquerda e vai, pouco a pouco, se afastando da casa de Madame Brunilda.

Seu estômago está enfurecido, e com razão. Você acabou de cortar o barato dele, que tinha a possibilidade de ingerir algum alimento, nem que fosse um pratinho de sopa quente. Ele se torce, se contorce, e você começa a sentir aquela dor fina, atravessada, que obriga você a caminhar contraindo a barriga.

O céu está novamente estrelado; a neblina, felizmente, desapareceu. A luz da lua ilumina o terreno e, com certo alívio, você constata que está bem mais fácil andar por ali. Já dá até pra ver e evitar as pedras, os troncos caídos, os galhos abusados que vez ou outra arranham seu corpo.

E você continua. Saudades da bicicleta você não tem, só um pouco de dor na consciência, por ter deixado pra trás uma coisa que não lhe pertence e que estava – porque estava – sob a sua responsabilidade. Mas isso depois você resolve.

Você caminha com atenção, olhando todo o tempo a sua volta. Até que, do lado direito, você vê uma superfície espelhada, refletindo a luz da lua: um lago. Lago? Lago nada, aquilo ali é um charco. E se você, da cidade grande, nunca viu e nem sabe o que é um charco, eu explico. Charco é um bocado de água estagnada, normalmente imunda, também conhecido como lodaçal, atoleiro, brejo, lamaçal. Aprendeu?

Você queria um laguinho azul, cheio de peixinhos dourados? Essa não! Você não está no PÂNTANO TENEBROSO??

Você se afasta dali o mais rápido que consegue porque, de repente, pode acontecer de você pisar, por engano, num lugar que acha ser terra firme e mergulhar no charco. E se isso ocorrer, adeusinho!

Rodando o leme e mudando o curso do seu navio para bombordo, você se distancia daquele perigo. Uma pessoa prevenida vale por duas, não é?

Logo você começa a caminhar sobre uma terra macia, lisa, recoberta por uma camada de areia fina, de partículas minúsculas que brilham à luz da lua. E vagarosamente, na maior maciez, você começa a afundar.

Você está afundando, sabia? Devagar, é verdade, mas se olhar a sua volta vai perceber que não tem nada por ali a que você possa se agarrar pra não ir a pique.

Esqueceu da AREIA MOVEDIÇA? Tss, tss, que falha, a sua!

Suas canelas já não são mais visíveis, parece que seu corpo termina logo abaixo dos joelhos. Por falar neles, agora você já não os possui mais. Estão submersos. Você tenta dar um passo, mas a areia gruda nas suas pernas, impedindo qualquer movimento. Você agita os braços, numa reação instintiva – mas preste atenção, hein! Se perder o equilíbrio, vai piorar as coisas, ou melhor, vai abreviar o tempo que lhe resta.

Agora você só tem dois cotocos de coxa à vista, exatamente na altura da bainha da bermuda. E você sente que continua afundando. A bermuda vai desaparecendo aos poucos. Agora, você está com a areia na altura da cintura e, ao que parece, vai continuar afundando, como se fosse um submarino. Ou não?

Vamos dar uma PARADINHA TÉCNICA pra você descansar.

Se estiver sentindo palpitações, que tal tomar o remédio para o coração do Coisas muito úteis? *Se a garganta estiver seca, beba um pouco d'água. Mas como eu sou uma pessoa legal, vou tirar você desse sufoco. Pelo menos, vou tentar.*

Agora você faz a quarta escolha e vai para a FASE 5.

▸ Se você acha que não tem saída, que aquela areia vai tragar você, mas vai continuar nesta opção só para ver como é que a autora vai conseguir que um livro juvenil não tenha um final trágico, traumatizante, então vá para a página 89. Recado da autora: você vai ver. É molinho, molinho.

▸ Se você, apesar de ter chegado até aqui, já se cansou desta história; se você não está gostando nem um pouco deste negócio de areia movediça, vá para a metade da página 68, onde tem escrito "Aí vai o final", e leia dali em diante. Lamento que tenha desistido quase no finalzinho...

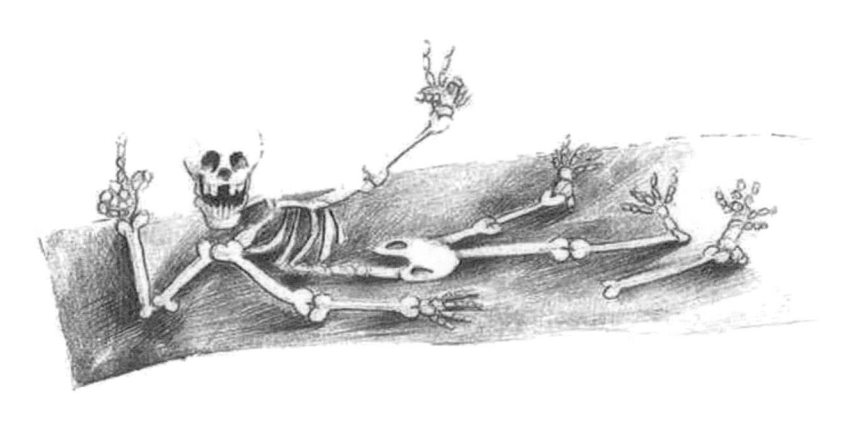

Você decidiu pagar pra ver como é que eu saio desta, não é? Então, vamos lá.

Você já não tem mais membros inferiores, e resta só um pedacinho do tronco. Até a altura das costelas, você praticamente não existe mais.

Os braços estão erguidos, como se você estivesse dando graças aos céus. Eu sei que você não está: é que, se você os abaixar, eles também vão sumir, e preciso que você tenha os dois braços acima do nível da areia, senão não consigo o final que criei.

Mais alguns centímetros areia abaixo e, de repente, seus pés tocam em alguma coisa sólida, áspera. E você para de afundar. Milagre? Nada disso. Você está sobre uma pedra imensa. Você força o corpo para baixo, pra se certificar de que ela é mesmo resistente, e não sai do lugar. Não sai. Você parou ali, os pés bem colocados sobre a pedra.

Viu como eu consegui? O quê? Falta sair de dentro da areia? Então, continue a ler.

Bem, ao menos você parou de ir a pique. Já é alguma coisa. E você, então, começa a pensar numa solução pra sair dali o mais depressa possível, porque, lá no alto, as nuvens estão novamente se aproximando, escurecendo tudo. Nem precisa ser meteorologista pra saber que a tempestade está chegando.

Seu relógio de pulso marca 10:26 da noite. Seu corpo está gelado. Mais um tempo e você confere novamente a hora: 10:32. As nuvens pesadas cobriram todo o céu e, por detrás delas, você vê a claridade amarelada e tênue da lua. E você ali, imóvel, sem ter conseguido uma ideia brilhante e salvadora. Neste momento, vê o primeiro clarão e, em seguida, escuta o primeiro – de uma série de muitos – estrondo. Tempestade braba; raios e trovões com fartura.

Um desses raios, pra desespero seu, risca o céu e cai bastante perto de onde você está. Mais uns vinte metros pro lado de cá, e você teria virado churrasco.

Aí você escuta um estalo e começa a ouvir um som sibilante, um farfalhar de folhas, como se alguma árvore tivesse sido atingida e estivesse caindo. E está mesmo. Um daqueles seis pinheiros centenários, que você sequer percebeu ou admirou quando passou por eles um pouco mais atrás, foi certeiramente fulminado. Coitado. E está caindo. E, acredite, diretamente sobre você. Portanto, vou gritar: Madeeeeeeeeeira!

Você, com os braços ainda livres, tenta proteger a cabeça – só não sei pra quê. Não vai adiantar nada, se o pinheiro cair sobre ela. E você percebe, com os olhos esbugalhados e a boca escancarada, que ele está mesmo caindo direto sobre você. Não era brincadeira minha, não.

A árvore cai um metro a sua direita. Sua sorte é que a parte que quase acertou você foi a ponta mais alta do pinheiro, aquela em que o tronco central já está tão fraco que fica espetada para cima, com meia dúzia de folhinhas. Sabe qual?

E é aproveitando essa ponta que você consegue se safar. Virando os braços para o lado, você alcança as folhas presas no galho, e aí começa a puxar o pinheiro na sua direção. É lógico que ele nem se move, mas não era isso que você pretendia. Afinal de contas, você não é imbecil como aquele sujeito que sentou no banquinho e puxou o piano para tocar... Em vez disso, você "se puxa", com o auxílio do pinheiro, e começa a tirar o corpo da areia movediça. Ganha alguns centímetros e estica os braços mais para a frente, continuando a puxar. Sai um pouquinho mais. Assim, seis minutos depois, você está a salvo sobre o tronco do pinheiro centenário.

O barulho de um motor em movimento invade suavemente os seus ouvidos. Cada vez mais forte, mais perto. Você não tem tempo a perder. Arrasta-se sobre o tronco, mesmo arranhando o corpo nos galhos, até conseguir sair daquela poça maldita. E quando consegue, nem para pra pensar: corre na direção do barulho e dos faróis que iluminam a noite, gritando desesperadamente.

O barulho vem do motor de um jipe que está rodando pelas redondezas faz um tempão. Se você, depois desta, resolver voltar, recomeçar a ler e tomar outro caminho na história, vai topar com ele, certamente.

Os quatro homens que estão no jipe avistam você, manobram em sua direção e, extremamente mal-humorados, perguntam se quer uma carona. Você aceita, sobe na traseira, e o que está dirigindo acelera fundo. Você só não entende como é que eles adivinharam que você precisava ir pra casa da sua tia, se não falou nada, e eles nada lhe perguntaram.

Quando o jipe para defronte do portão, o motorista olha pra você irritado e diz:

— Agora, vê se sossega o pito. A gente tem mais o que fazer do que ficar salvando você, certo?

Você salta, agradece e vê, antes de o carro se afastar, que o mal-encarado do copiloto segura uma espingarda. E fica sem saber quem são eles, o que vão fazer. Será que são uma quadrilha de matadores? Ou seriam assaltantes?

Bom, a história que você escolheu termina aqui. Só falta você entrar em casa e explicar direitinho pra sua tia o porquê do seu atraso pro jantar. São 10:56 horas...

Viu como eu consegui?

Agora que finalmente terminou, vá até a página 36, que eu tenho uma coisa pra dizer a você.

Junto à caixa do correio você para e bate palmas. Nada. Ninguém atende à porta.

Bate novamente, um pouco mais forte. Nada. Já está pensando em desistir, mas, por ser este um estado de necessidade, insiste.

Desta vez você bate palmas com muito mais vontade, e logo um vulto aparece na janela e uma mulher, com uma voz rouca e zangada, pergunta quem ousa interromper Madame Brunilda àquela hora da noite.

Sugiro que você use todo o seu charme, se é que tem, pra convencer aquela senhora antipática a socorrer você. Se quiser, pode ensaiar e treinar a simpatia.

Você se aproxima cautelosamente pelo caminho cheio de mato que leva até a porta. Enquanto isso, Madame abre a janela e examina você de alto a baixo. Você para e, dali de fora mesmo, explica o que está acontecendo e pede ajuda. Ela torce o nariz, resmunga um pouco, mas, felizmente, sai da janela e abre a porta, mandando você entrar.

Quando você entra na casa de Madame Brunilda, toma um susto. Aquilo deve ser a sala, mas parece na verdade um laboratório medieval. Sobre um fogão a lenha, no canto da parede, algumas caçarolas de ferro soltam fumaça. Numa mesa ao lado dele, uma grande quantidade de vidros, sacos de papel, vasilhas

e outras coisinhas não identificáveis toma todo o espaço. Das vigas que sustentam o telhado pende um monte de patas, rabos, arcadas dentárias, réstias de alho, cestas de palha. Uma confusão dos diabos. Móveis, são poucos o que você vê: uma cama estreita, toda amarfanhada, a tal mesa, duas cadeiras e uma mesinha num canto, com uma coisa redonda sobre ela, coberta por um pano vermelho. Aquilo deve ser uma "bola de cristal", que Madame usa para ver o futuro dos clientes.

Enquanto você faz o exame, Madame vai até o fogão, retira uma das caçarolas e põe para ferver um caldeirão imenso cheio d'água. Você fica ali, imóvel, sem saber se senta um pouco, sem saber se pede alguma coisa para comer, mas optando por ficar de boca fechada. E só então percebe o aspecto da velha: ela é toda retorcida, meio corcunda; os cabelos, grisalhos e embaraçados, caem sobre o rosto; o nariz é comprido e curvado, como se ela fosse um periquito; a boca tem poucos dentes, e a pele da face é toda enrugada. Madame usa um vestido preto, largo, que cobre o corpo ossudo e magro. Ela tem, sem sombra de dúvida, toda a aparência de uma autêntica bruxa de desenho animado.

Brunilda, finalmente, se lembra da sua presença e, percebendo a sua sujeira, dá a você um trapo e manda que vá lá fora se lavar imediatamente, explicando que atrás da casa tem uma bacia cheia de água.

Quando volta, você já está com um aspecto melhor. Madame torna a examinar você detidamente. E, afastando uma cortina que você não tinha notado, abre a porta de um cômodo minúsculo e estende a mão retorcida, apontando para ele. Você não tem saída e entra. Imediatamente, ela tranca a porta atrás de você.

Alguma coisa no seu íntimo sugere que o que está para acontecer você já leu ou ouviu em algum lugar. É isso, está muito parecido com uma história que você leu quando era criança, que falava de duas crianças perdidas na floresta e de uma bruxa. Mas como era mesmo que terminava a história? Você tenta lembrar, mas não consegue.

E aqui a gente faz uma...

Se você tem a lanterna do Coisas muito úteis, que tal acender e verificar que cômodo é este, o que é que tem nele, se tem alguma saída por onde você possa escapar, se precisar?

Não tem? Lamento. Então, aproveite o escuro e tente se lembrar do final daquela história. Quem sabe pode ajudar?

Você faz a quarta escolha e vai para a FASE 5.

▶ Se você acha que esta velha é maluca, mas não ruim, e que só trancou você ali por alguns minutos, que já, já, vai abrir a porta e lhe oferecer um prato de comida, então vá para a página seguinte.
Estou torcendo para que seja isso mesmo, porque, do contrário, vai ficar complicado para você.

▶ Se você tem certeza de que Madame prendeu você para evitar que fuja, e que ela está se preparando para fazer alguma maldade, que seu fim está próximo, então vá para a página 101. E eu lhe desejo um fim rápido e sem sofrimentos, ok?

▶ Se você se lembrou do final daquela história, que agora sabe ser JOÃO E MARIA, e já está começando a procurar um rabinho de rato pra salvar a sua pele, pode tirar o cavalinho da chuva. Esta história não é um plágio.

Algum tempo depois, que você não sabe quanto porque naquele escuro é impossível ver a hora, a velha abre a porta e manda você sair. É, você tinha uma certa razão. Ela não está com cara de que vai lhe fazer algum mal. Mas acho que ela, também, não está nem um pouco preocupada com a sua fome, porque não tem nenhum prato de comida à vista.

Ela manda você ficar junto da mesa-bagunça e vai apontando cada uma das coisas que estão sobre ela e dizendo o nome: aqui, asas de morcego; aqui, rabo de cobra-verde: aqui, de cobra-coral; este, chocalho de cascavel; aquele pequeno, olhos de javali em conserva, pra não estragar; este, patas de aranha-caranguejeira; o grande, pó de pelo de gato preto queimado; e este, raspas de unhas de bode malhado.

E passa para você uma colher de pau meio quebrada e um copinho de barro lascado.

Já percebeu que você, de agora em diante, vai ser ajudante de feiticeira? Já? Quem diria, hein? Greta Garbo...

Madame Brunilda, com sua voz carcomida, vai pedindo ora isso, ora aquilo, e você, tentando encontrar o que ela quer. Erra, acerta, ela resmunga, pigarreira. Tudo o que você lhe entrega vai para dentro do caldeirão, que fervilha e solta uma fumaça branca e um cheiro horrível. Madame, ao que parece, está achando aquele fedor muito normal, porque, vira e mexe, aproxima o nariz curvo e dá uma boa fungada, sorrindo depois com aquela boca desdentada.

Quando ela pede a conserva de olhos de javali e joga meia dúzia deles dentro do caldeirão, uma labareda pula da panela e tosta, na hora, meia dúzia de réstias de alho que estavam penduradas no teto. Você leva um baita susto e dá um pulo para trás – infelizmente, no mesmo momento em que o gato preto de estimação da Brunilda, que você ainda não tinha tido o desprazer de conhecer, entra pela janela. Com o seu movimento brusco, ele também se assusta e pula sobre a ponta da mesa, agarrando a toalha com as unhas afiadas. E não dá outra: sem conseguir se manter em cima dela, o gato cai, agarrado no pano, trazendo para o chão todos os pozinhos, raspinhas e outras coisinhas que estavam dentro das vasilhas, que se espatifam no chão.

Madame Brunilda dá um grito lancinante e dispara um olhar assassino sobre você. Acho que está na hora de fugir – ou você vai ficar aí, feito um dois de paus?

Você voa para a janela e pula pra fora, correndo desesperadamente em direção ao portão. Madame, depois de abrir a porta, também corre, só que atrás de você, com um detalhezinho: na mão direita, um facão de meio metro de lâmina.

Você corre, escorrega, cai, levanta, continua correndo, olhando de vez em quando para trás, para conferir a distância que separa você da morte. Mas, felizmente, apesar de bruxa, Brunilda é velha, e suas pernas conseguem uma boa dianteira sobre ela. Mesmo assim, você continua correndo, bufando, arquejando.

De repente, você avista um par de faróis, iluminando a noite. Você ergue os braços e acena desesperadamente. E quando o jipe para junto de você, um frio percorre a sua espinha. Porque ali dentro tem quatro homens de cara amarrada, praguejando baixinho; um deles segura uma espingarda engatilhada.

Será que você escapou da cruz pra cair na caldeirinha?

Um dos homens que estão atrás nem lhe dirige a palavra: apenas indica, com um gesto de cabeça, a parte traseira, mandando você subir. Diante daquela arma, você acha por bem obedecer. Pra que criar confusão, não é?

Você nem pergunta para onde estão levando você. E, inacreditavelmente, alguns minutos depois, você avista o portão da casa da sua tia, que está na janela.

Quando você salta e se prepara para agradecer, o motorista olha duramente dentro dos seus olhos e diz, entredentes:

— Esta foi a última vez. Vai dormir, peste, que já é tarde. E vê se para de dar trabalho pra gente.

Você fica sem entender nada. Como "esta foi a última vez", se é a primeira vez que você vê aqueles homens?

Na verdade, você tem e não tem razão. Porque esses homens, esse jipe e essa arma já rodaram um bocado por esta história. Mas não liga, não. Importante é que você está de volta à casa de sua tia Eva, e vai poder comer uma comidinha gostosa daqui a pouco, tão logo termine o longo relato da sua aventura, tão logo consiga se explicar pra sua tia. E quando isso acontecer, desejo que você aproveite bem o seu jantar!

Agora, se o tal jipe ficou malresolvido na sua cabeça, eu tenho uma sugestão: continue a ler o livro, escolhendo outras opções. Aí, você vai entender tudinho, tudinho. Certo?

Agora que finalmente terminou, vá até a página 36, que eu tenho uma coisa pra dizer a você.

Muito tempo depois, você escuta a chave rodando na fechadura. Finalmente, a velha chegou para consumar o fato. Mas, durante o tempo em que esteve ali dentro, você pensou. E eu tenho certeza de que você tem um plano infalível pra escapar desta. Ou não tem?

Quando ela abre a porta, você salta sobre ela, com todo o impulso que consegue, e joga Madame no chão, de qualquer maneira. E corre para a sala. De cima da mesa-bagunça, você se apodera de um facão e ameaça a feiticeira, que a esta altura já saiu do quartinho. Ela para, sem saber o que fazer. E você, com toda a firmeza que consegue imprimir à voz, ordena que ela arranje o que comer, e bem rápido. A princípio, a bruxa se nega; mas quando percebe que você está prestes a jogar todos os pozinhos e raspinhas no chão e entornar as panelas que estão no fogão, concorda. Vai até aquela mesinha onde fica a bola de cristal e, da parte de baixo, retira um pacote de biscoitos. Estende para você, que, esperto, manda que ela o coloque sobre a mesa-bagunça. Madame se afasta e você pega os biscoitos avidamente. Água e sal. Você detesta este tipo, mas, com a fome que está, não dá mesmo pra escolher. Abre o pacote, mantendo a faca na mão e os olhos nela, e começa a comer.

Quando termina, você já se sente melhor. Aí, percebendo que está numa situação de superioridade, aproveita: ordena que Madame Brunilda vá para o fogão fazer um café para você. E avisa: não é café ralo, não.

Depois de beber o café, você fica sem saber o que fazer. Dormir ali você não pode. A não ser que tome certas providências. E outra ideia lhe ocorre.

Você puxa a cortina que escondia o tal quartinho onde ficou e rasga o tecido em tiras finas. Emenda umas nas outras, formando uma corda. Aí, com a faca na mão, se aproxima da velha e manda que ela vire de costas para você e junte as mãos às costas. Amarra firmemente os pulsos de Madame, verificando se os nós estão bem apertados. Depois, você diz a ela para entrar no quartinho, e tranca a porta. Pronto, dali ela não escapa.

Agora, é pensar em comer alguma coisa mais sólida, para acalmar o estômago e, depois, dormir o sono dos justos.

A velha não tem despensa na casa, mas, em compensação, uma manta de carne está próxima do fogão, defumando. Com a faca, você corta um bom pedaço e prova. Deliciosa. Come todo o resto e bebe o café. Depois, deita na cama estreita, e quinze segundos mais tarde está dormindo profundamente, ainda com a faca na mão.

Você escuta uns piados de passarinho e pula da cama. E se dá conta de onde está. Olha para a porta do cômodo e vê que continua trancada. Sobre o fogão a lenha tem ainda um restinho de café morno no bule. Você bebe, dá uma olhada em volta e pensa se vai ou não libertar a bruxa. Depois de alguma indecisão, resolve deixá-la lá dentro, para sua segurança.

Você abre a porta da casa, olha para o céu azul e vê que vai fazer um lindo dia de sol. O relógio marca 6 horas, e daqui a pouco seus pais estarão encostando o carro na porta da casa de tia Eva. Você continua sem saber onde está, não tem a menor ideia do tempo que vai levar até chegar lá. Mas não adianta pensar nisso agora. Você sai andando, sempre em frente, torcendo para estar no caminho certo e, principalmente, para não ter mais problemas. Mas isso, à luz do dia, é pouco provável, não é?

Agora que finalmente terminou, vá até a página 36, que eu tenho uma coisa pra dizer a você.

Muito bem, você quer um *help* pra decifrar o que está escrito na placa, não é? Então, vamos lá.

São quatro palavras: a primeira é polissílaba e tem como sinônimos *necrópole, campo-santo, última morada.* É um lugar arrepiante, onde poucas pessoas têm coragem de entrar depois que escurece.

A segunda designa algo que pertence ao município.

A terceira foi poupada da ação dos vândalos: DA

E, finalmente, a quarta palavra é trissílaba, paroxítona e significa uma pequena elevação na montanha, um monte.

E então, sacou?

Bom, retorne à página 21 ou à página 51 (onde você estava antes do *help*) e prossiga seu caminho, agora mais consciente.

E – desculpe a indiscrição – mais medroso...?

INSTRUÇÕES

Meu amigo, ler esta história é bem simples. Você começa preferencialmente pelo começo e segue até o ponto em que a gente dá uma PARADA TÉCNICA. Aí, surgem opções para você escolher como prosseguir, se por um caminho ou por outro.

Você vai seguindo e, a cada vez que a parada aparece, opta e segue.

Algumas das histórias são curtíssimas, outras mais longas. Mas não se preocupe. Caso você chegue ao final e ainda esteja com pique para continuar lendo, é só retornar ao início e fazer escolhas diferentes. Você vai ler um montão de histórias num único livro.

Entendido?

Então, prepare-se.

SUA AVENTURA VAI COMEÇAR. BOA SORTE!